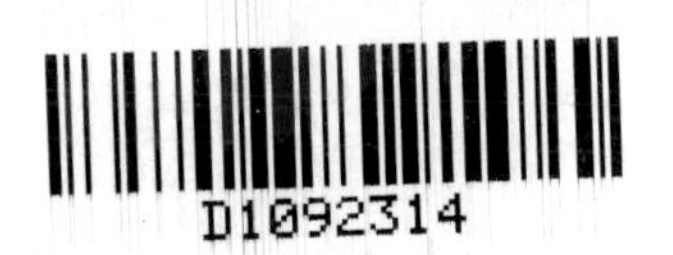

SU DOKU
MINDBENDERS

Kandour Ltd
1-3 Colebrooke Place
London
N1 8HZ
UNITED KINGDOM

First published 2006

Managing Editor: James Jackson

Production: Karen Lomax

Printed and bound in China (Hong Kong)

ISBN 10: 1-904756-66-2

ISBN 13: 978-1-904756-66-8

HOW TO ENJOY SU DOKU

4		2	9			1	3	
5	3	1	6				9	
7				3	1			5
		4					5	8
2				9			1	6
	1					9		
6	2		3		9			4
	4				6		7	9
	5	8	4	2	7			

Velcome to Su Doku World

u Doku is the new puzzle from Japan and it's sending the world mad. The rules re quite simple: fill the empty cells so that each row and column and each 3x3 cell ox contains the digits 1 to 9. This is the basic form of Su Doku. Though this sounds asy, it is tough. Mathematical skills are not needed; however, logic and reasoning re required. Enjoy the challenge! Once you start you can't stop!

HOW TO PLAY SU DOKU

Guess the number from the row

x	x	7	x	2	4	x	x	x
4	1	x	x	x	x	x	2	x
3	?	9				5		

You can start from anywhere, but the 3x3 cell box filled with the most numbe
is usually a good place to start. Pay attention to the box on the left. What fits i
the bottom row of the left box? At a glance, you may notice the two 2s in the to
row and middle row. Remember, each grid row, column and 3x3 cell box ha
room for only one of each number. Consequently, the cell in the bottom row ca
only be filled with the number 2.

Pay attention to the columns and rows, too

		7	x	2	4			
4	1		x	x	?		2	
3	2	9	x	x	x	5	x	x
9	8		3	x				
			9	7	2			
			x	x			5	1
		4	x	x		8		9
	5		x	x			3	6
			1	3		4		

Meanwhile, concentrating on th
stack of boxes down the middle, yo
can recognize similar patterns. Th
middle box has a 3, and the botto
box has its 3. Accordingly, in the to
box, the left column and the middl
column can't have 3. However, in th
top-left box, there is a 3 in the botto
row which means there can't be an
more 3s in that row. Therefore, in th
top-middle box, the 3 can only be i
the cell under the cell containing 4.

HOW TO GUESS THE MISSING NUMBER

Apply these rules then continue!

		7		2	4			
4	1				3		2	
3	2	9				(5)		
9	8		3					
			9	7	2			
					8		(5)	1
		4				8		9
	5						3	6
			1	3		4		(?)

To progress, you need to use some particular techniques. Let's fill the four empty cells in the bottom-right box. The empty cell in the bottom row of the right column can be easily guessed from the two 5s in the stack of boxes down the right.

	(2)	
5		
	5	1
8		9
(?)	3	6
4		5

What's next?

After putting the digits 5 in the cell of the bottom-right corner, let's guess the other missing numbers in the bottom-right box. As there is a 2 in the top-right box, it is not difficult to fill the empty cell surrounded by 8, 4 and 3 in the bottom-right box.

And in the end?

		4				8	(?)	9
	5					2	3	6
			(1)	3		4		5

There are only two empty cells left. You can find the missing number between 8 & 9 by recognising a 1 in the bottom row, in the middle box. Finally, in the bottom-right box, there are eight digits, and so the missing number 7 completes the cell.

HOW TO GUESS THE MISSING NUMBER

An advanced technique - using temporary numbers

With the number 8 in the middle box and the number 5 in the bottom box, the empty cell in the top row can't be filled with the digits 5 or 8. Instead, the cells in the left column and the right column of the top box can be filled with either of them. To sum up, you can keep the two empty cells with the temporary determination as the digits "5 or 8" and they share the same two cells. Now, there is only one empty cell left, this can be filled with the only missing number, namely, the 6.

5/8	(?)	7
4	1	5/
3	2	9
9	(8)	
		4
	(5)	

Find a missing number

Put the numbers 7 and 8 in the empty cells, temporarily, and only a 2 can be put in the bottom-right cell in the top box.

4	6	1
5	9	3
7/8	7/8	(?
		4
		(8
	4	(7
3		6

6	x	9
8	x	1
3	x	4
	3	
(5)	4	8
		(?)
2		6
4		3

Pay attention to the column

A 5 can be put in one of the empty cells in the middle column of the top box. After that, a 5 can only be placed in the top-right cell in the bottom box.

Enjoy the challenge!

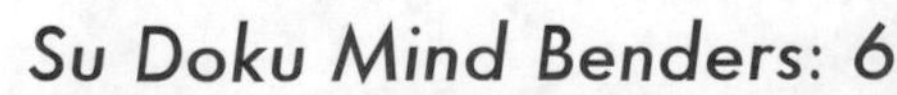

SU DOKU, SOME VARIATIONS

BORED WITH 9X9 BLOCK STACK SU DOKU?

You can also enjoy something different!

Multiple Su Doku

Su Doku normally has a 9x9 cell block, but the multiple version has a 16x16 cell block (sometimes more...). Fill in the grid so that every row, column and box contains the digits 1 to 16. This version can be easier than you expect.

6					15		4	1		9					13
		12	11	13		7			8		4	15	3		
	15			16		12			6		2			14	
	7				14		6	3		15				1	
7	11				8	9			12	3				2	10
			5			6	16	9	4			7			
	4		16	15	12					1	14	13		8	
12			14	4			2	8			15				16
11		9			16		15	10		6			13		8
		7		10		14			2		1		12		
	10				9		5	12		13				4	
14	16		8	11		2			9		5	10		3	1
		16			7		9	4		14			2		
15		4	9	12		16			7		8	3	11		5
	2			3		13			1		9		4	7	
10		8			1		11	2		12			16		6

	4	7				2	6	
8			1		5			3
2				6				9
4			7		3			8
5								4
	6						1	
		1				5		
			2		4			
				3				

Silhouette Su Doku

In silhouette Su Doku the rules are the same as ordinary Su Doku. The cells with numbers form something, like a heart, a tree, a star, and so on. The shaded cells are also the clues to solving the puzzle.

Jigsaw Su Doku

Fill the empty cells so that each row and column contains the digits 1 to 9. But instead of a 3x3 cell box, the 9 cells surrounded by the thick line have to be filled with the digits 1 to 9.

	5		3		8		7	
8								9
		1		2		4		
9			8		5			1
		4				3		
7			6		9			4
		8		1		9		
3								7
	8		7		3		4	

THE VARIATION OF SU DOKU

Combined Su Doku

This Su Doku uses a 9x9 block stack. Overlapping parts should be considered a part of each Su Doku puzzle. Of course the basic rules apply.

4	9			5			6	7			
7								4			
			4		8						
		9		2						4	
2			7		3						
		5		4							
							8		9		
5						1		6			
1	3						4		1		
						8		3			
			3								
			6	7			2			5	

9			2		3			6
		1				9		
	2						4	
4			1	6				7
			3		7			
3				2	4			8
	8						5	
		2				4		
5			8		1			2

Shadow Su Doku

Fill the empty cells so that each row and column and each 3x cell box contains the digits 1 to 9. Additionally, the nine dar shaded cells must contain the digits 1 to 9, and so must the nin light shaded cells.

	7	9		6		3	1	
6		7				4		8
			6		5			
	3		1		9		8	
4		2		8		6		9
	1		7		2		5	
			4		8			
3		4				1		2
	4	5		3		8	9	

Classic Su Doku

Fill the empty cells so that each row and column contains the digits 1 to 9. Ignore any 3x3 cell box, as this rule doesn't apply.

	5						9	1
3	2		8					5
			5		9	3		
	7	3				4		
				5				
		5				9	6	
		7	4		2			
4					7		8	3
9	1						7	

Diagonal Su Doku

Fill the empty cells so that each row, column and 3x3 cell bo contains the digits 1 to 9. Additionally, 2 diagonal cells - fror the top right cell to the bottom left cell, and from the top-left ce to the bottom right cell – have to be filled with digits 1 to 9.

BEGINNERS

Beginner **1**

6	1	9	8	5	2	4	7	3
4	2	5	7	3	6	1	8	9
8	7	3	1	9	4	5	6	2
2	6	4	5	1	3	7	9	8
1	3	8	9	4	7	6	2	5
5	9	7	6	2	8	3	4	1
9	4	1	2	7	5	8	3	6
3	5	6	4	8	9	2	1	7
7	8	2	3	6	1	9	5	4

Difficulty

*****

Beginner **2**

		7		2		4		
		9	1		5	2		
4	1						5	3
	9			1			4	
7			9		6			5
	8			3			1	
5	7						3	6
		6	4		8	1		
		8		7		5		

Difficulty

*****

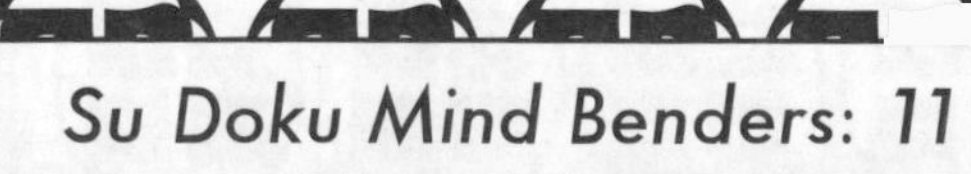

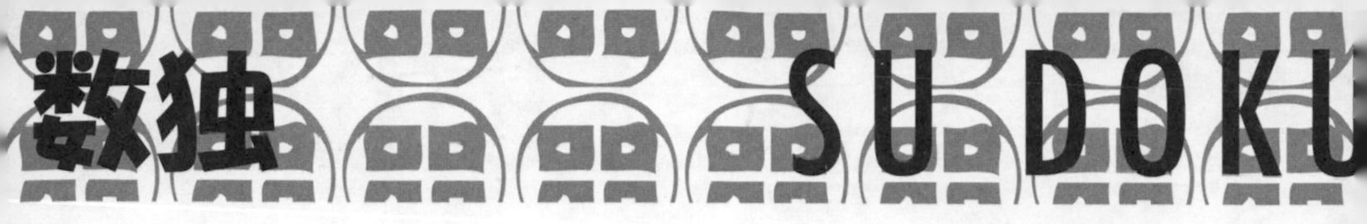

Beginner 3

4	7	1	3	5	6	2	8	9
9	2	3	7	8	4	1	5	6
8	5	6	1	2	9	7	3	4
7	4	9	5	3	1	6	2	8
3	6	8	2	9	7	5	4	1
2	1	5	6	4	8	3	9	7
5	9	7	8	1	2	4	6	3
1	3	4	9	6	5	8	7	2
6	8	2	4	7	3	9	1	5

Difficulty

*****

Beginner **4**

			9	7	1			
			8		3			
3	9	5				7	8	1
9				6				5
8	1	4				2	7	6
		7				9		
	7			4			9	
4			1		2			7
2	8	6				5	1	4

Difficulty

*****

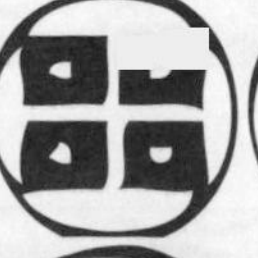

		2				5		
			4	8	6			
9		4		2		3		8
	5		6		2		9	
	6	9				7	4	
	2		9		7		8	
8		5		6		2		7
			5	9	3			
		6				4		

Difficulty

*****

Beginner 10

8				3				1
	6	3				5	9	
	9		2		1		3	
		6	7		3	8		
5				8				6
		7	6		5	9		
	1		3		8		4	
	7	8				1	2	
6				9				7

Difficulty
*****

Beginner 11

		8				3		
	2				9	1	4	
6	1	4	5	2		8		7
	7					2		
		3		6		4		
		2					3	
8		9		5	2	6	7	4
	5	6	3				2	
		1				5		

Difficulty
*****

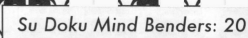

Beginner 12

	6	4				1	8	
1								5
	8	5		6		9	2	
	3		1		2		5	
	2		4		8		1	
	1	8		4		5	7	
3								9
	4	6				8	3	

Difficulty

*****

Beginner 13

	7			9			6	
4								9
			6	7	5			
		1		5		3		
2		5	8		3	4		7
		4		6		1		
			2	3	9			
1								4
	8			4			5	

Difficulty

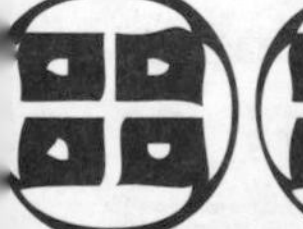

Beginner 14

7		6			4	9	1	
	2				9	5	8	
1		7			5	4	9	
	6	5	3			2		8
	7	2	5				4	
	9	8	2			6		1

Difficulty

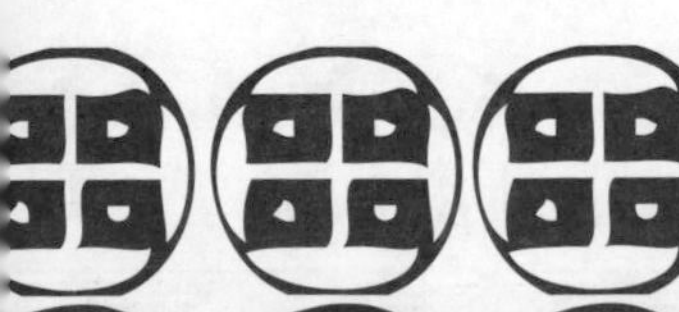

Beginner 15

	2		9	7	6		4	
7	6						3	2
		4				6		
2			7		9			8
9				1				3
6			8		5			1
		2				5		
1	5						8	4
	3		5	8	1		2	

Difficulty
*****

Beginner 16

1				2				7
	5			7			1	
6			3		8			4
		1				7		
4	8			6			9	5
		7				3		
3			6		5			8
	2			3			5	
7				4				1

Difficulty

Beginner 17

4	7		3		5		8	2
1	6						3	5
				7				
6			8		2			1
		7		3		8		
2			7		6			3
				2				
5	2						9	8
8	9		1		3		6	7

Difficulty

*****

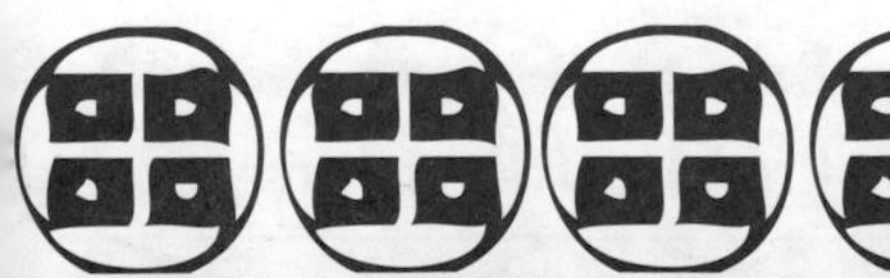
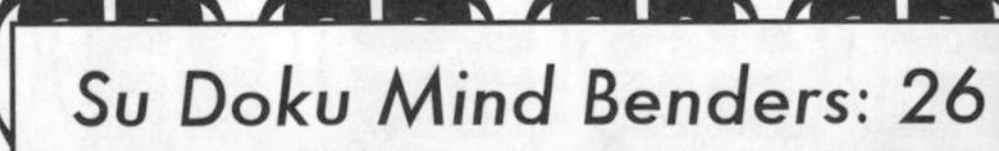

Beginner 18

	7	1				3	8	
4	8						5	6
5				4				7
			3		2			
		7				6		
			7		4			
9				1				8
2	1						3	5
	6	4				2	1	

Difficulty

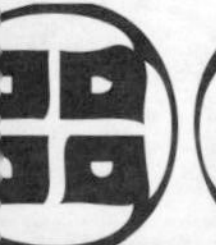

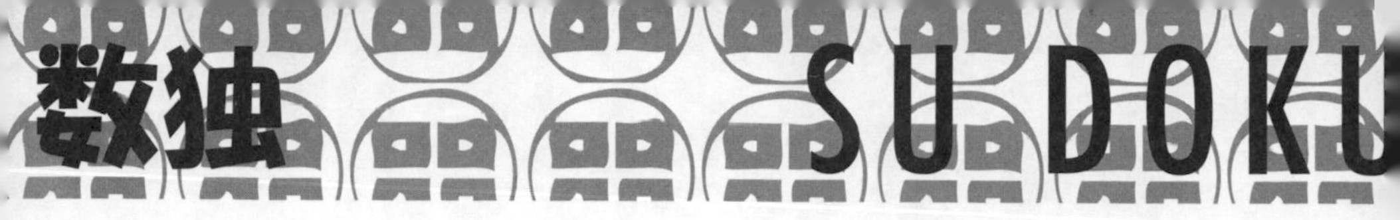

Beginner 19

				3				
4			2		8			3
1		8				2		9
8			5		3			4
		3		8		1		
	4						5	
7		1		9		5		6
			6		7			
		5				7		

Difficulty

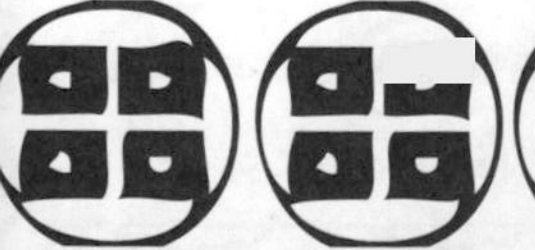

Beginner 20

		5	6		2	4		
				8				
2			1		4			3
7		3		2		5		1
	4		3		9		6	
6		2		4		3		9
4			9		7			5
				1				
		9	2		3	7		

Difficulty

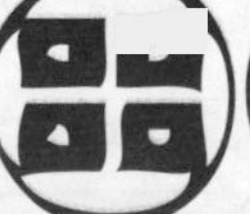

Beginner **21**

	5			2	4	1		
2			3				5	
		7						6
	9				3			8
6				5				9
8			7				3	
5						7		
	1				9			3
		6	2	8			4	

Difficulty

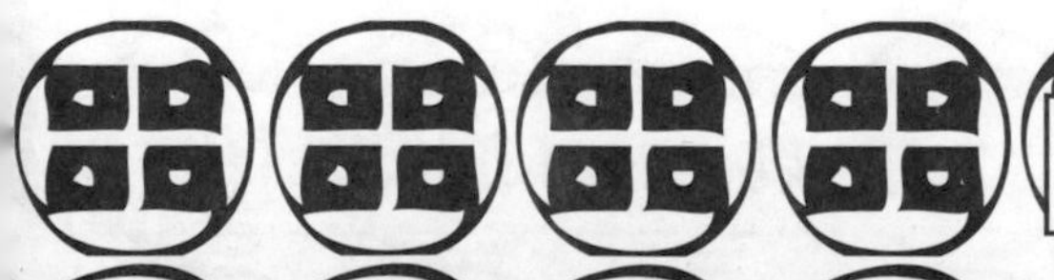

Beginner **22**

		8				4		
	9		7			2		
5		3				1	8	6
	1				2			
6				8				1
			9				7	
3	4	2				7		5
		9			3		4	
		1				8		

Difficulty

Beginner 23

		4	8	6	1	2		
	1				4			
3				2				
4		2		5				
7				8				
6					9	7	2	5
8			5	1			6	
	4					1		
		6	2	4	7			

Difficulty

Beginner **24**

		9				8		
	4			9			2	
6			3		4			9
	8	1				2	3	
			1		8			
	6	5				1	9	
1			4		7			2
	5			3			7	
		8				9		

Difficulty

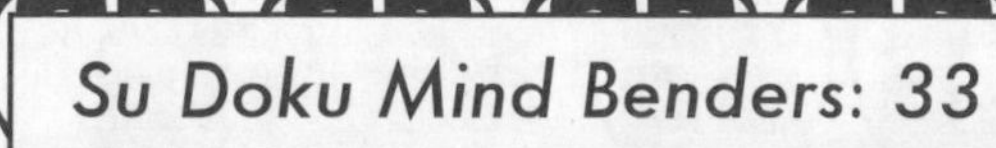

Beginner 25

		8				5		
		9			6			
2			1		9		4	8
	5	4				3		
		2				4	7	
9	1		5		7			3
			2			1		
		3				6		

Difficulty

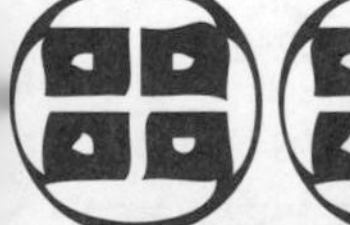
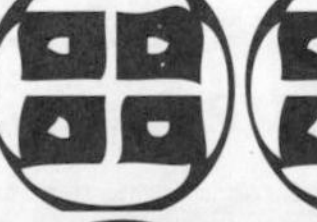

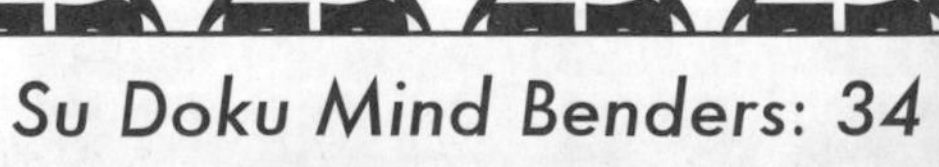

Beginner 26

1	2	3	4		8			9
			5		2	1	8	
8		6					2	
	7						3	2
		9						1
4				2		5		
3				8		6		
5	6			1		4		3
	4		3			2	1	

Difficulty

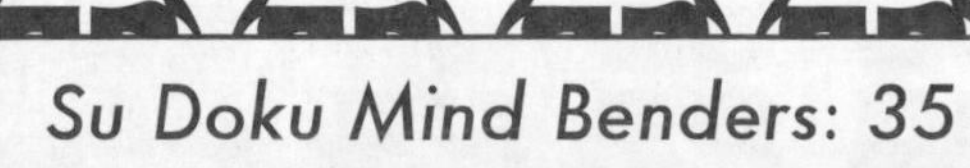

Beginner 27

	6						2	
		9	2		4	1		
		1				5		
2			3		1			6
	4			9			7	
6			8		2			4
		2				6		
		7	5		8	2		
	5						3	

Difficulty

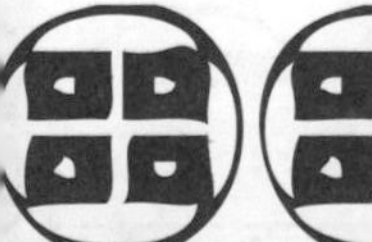

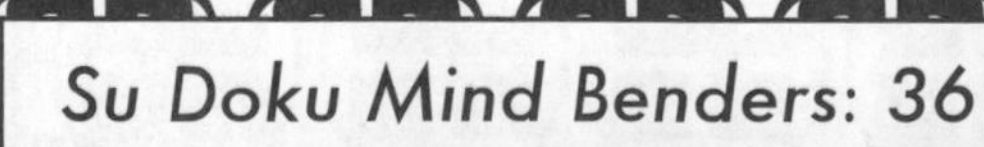

Beginner 28

1	4	5		6		2		3
				1				
2	3	7		8	4			
				7		1		
7	9	1		4				
						4		6
						5		7
			4					8
			3				9	

Difficulty

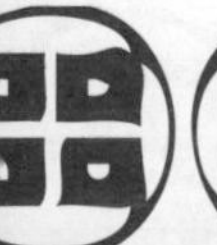

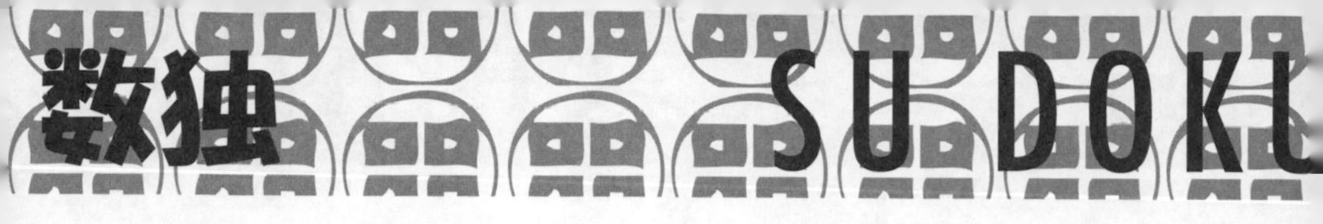

Beginner 29

		5				1		
			2		3			
3		4		8		6		7
	5		8				9	
6	9				4		2	1
		1		6		7		
			3		8			
		6		2		3		

Difficulty

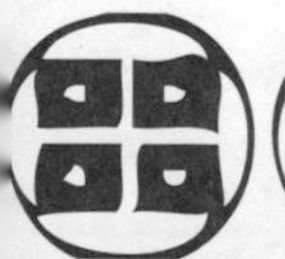

Beginner **30**

	9	7				5	8	
8			2		4			9
				9				
				2				
4		3				2		1
9			8	7	6			5
	4						3	
		2				1		

Difficulty

✱✱✱✱✱

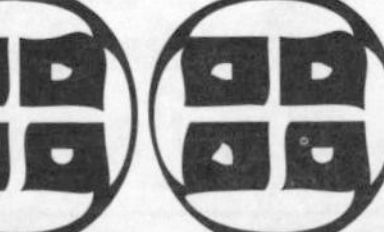

Beginner **31**

5				3				6
	7		9				2	
		8				1		9
					7		8	
4				8				3
	8		4					
2		5				3		
	4				6		1	
7				4				5

Difficulty
*****

Beginner 32

			4	3	8			
	3	9	7		1	8	5	
	2						7	
3	4		2		6		1	9
5				7				3
6	9		5		3		8	7
	1						2	
	6	5	1		2	7	3	
			8	9	5			

Difficulty

Beginner 33

						3	7	
		2	4					8
	7			5				1
	3				2			
		7		3		8		
			6				4	
6				2			3	
3					6	4		
	9	1						

Difficulty

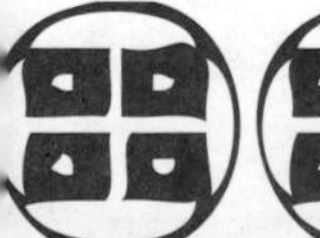

Beginner **34**

		1	2	3	4	5		
	6						7	
	8		1		6		9	
	3						6	
		8				1		
		2				7		
			9	1	3			
1								3
	4	3				2	1	

Difficulty

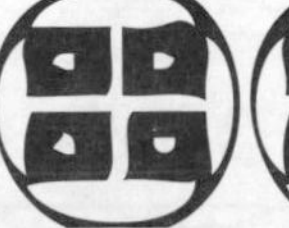

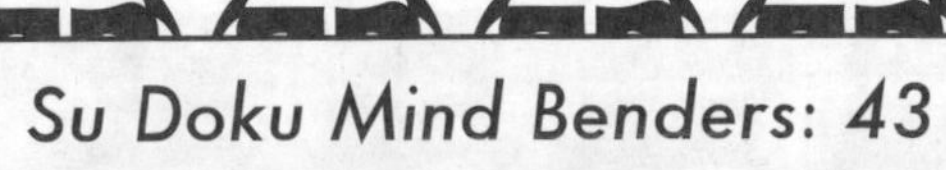

Beginner **35**

5		4		9		2		3
	2	3				7	6	
1			4		3			5
		5			1			2
9			6		2			1
	8	7				3	2	
6	3			2			1	7

Difficulty

Beginner 36

4				2				7
			4		7			
		7		9		6		
	8		5		2		3	
7		6				1		4
	9		7		4		2	
		1		4		9		
			8		5			
5				7				8

Difficulty

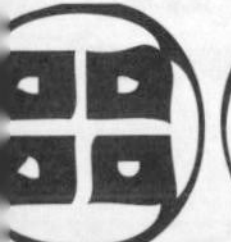

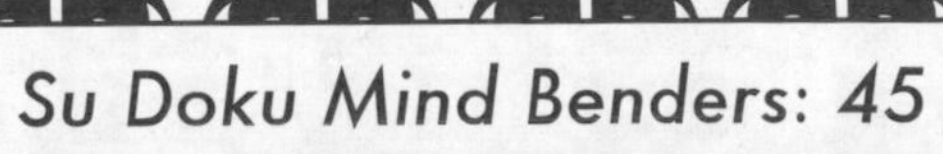

Beginner 37

	5	7				3	4	
1			3		2			6
9				1				7
4								2
	8						9	
		5				6		
7			1		9			3
	1			2			6	
5		2				1		8

Difficulty

Beginner **38**

	4							6
1	2	3				7		
	5			8	4	9	1	2
6		7		9		3		5
				5	7	1	9	4
		5				2		
		1				8		
5		2		1				3
		4					2	1

Difficulty
*****

Beginner **39**

	3	4				2	9	
5			8					4
7				4				5
	8				6			
		3				8		
			7				2	
8				7				9
6					8			3
	5	7				6	8	

Difficulty

*****

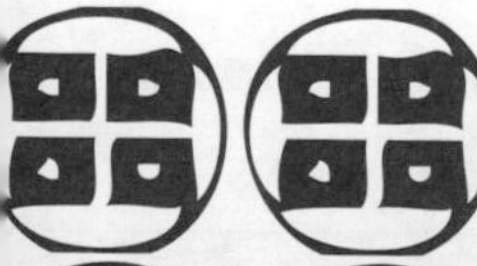

Beginner 40

			1	2	3			
		4				5		
		6		5		7		
			8	3	9			
	2	7				3	4	
9			4		2			6
1		2	3		5	9		4
5			2		1			3
	4	3				2	1	

Difficulty
*****

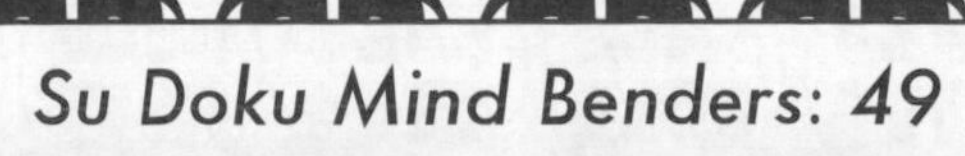

				1			5	
4		6			9			2
	2		7	3		6		9
		1		2			3	
	4			7				
		3		6			8	
	7		3	4		1		8
1		5			6			3
				8			9	

Difficulty

Beginner **42**

1	2				3	4	5	
6					7		8	
	9	7	2					
		8				1		
					5	7	4	
	6		1					3
	5	4	3				2	1

Difficulty

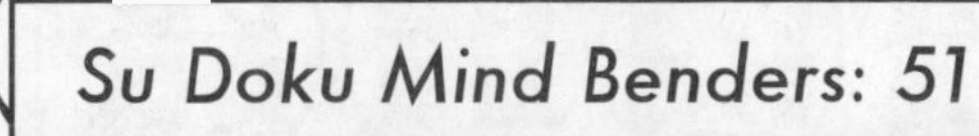

Beginner **43**

		1				4		
			5		8			
6		2		7		9		3
	7		6		4		3	
		5				2		
	9		8		7		5	
3		9		8		5		7
			7		2			
		7				3		

Difficulty

Beginner 44

	2	1					5	
3								8
4				8				
5			9		2			
	6	7	8		1		3	2
			6		4	1		
				1			4	
1								3
	3					2	1	

Difficulty

Beginner **45**

			3	2	1			
		4						
			5	6				
					7			
		6	9	8				
4	3	8			6			7
	2				9	6		4
	1				5		3	2
5	4	3			2			1

Difficulty

Beginner 46

1	2	3			7		9	
					2	6		5
4	5	6					7	
							4	3
7	8	9						
					1	9	5	
						5		
2	1	5				4		
		7		5	4	3	2	1

Difficulty

Beginner 47

		7		1	9		2	
6								3
	3	2		4	6			1
				6	8			
	2		1		5		4	
			2	3				
8			5	9		6	7	
2								9
	5		6	2		8		

Difficulty

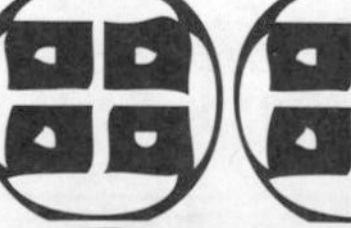

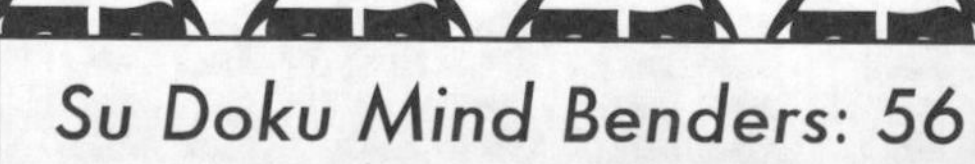

Beginner 48

							1	
8	9			5	4	3	2	
	5			6				
	1			7				
				8	9	6	5	
	7						8	
	3						4	
	6	5	4		2	1	3	

Difficulty
*****

Beginner **49**

	6		5		2		4	
	4		7		1		8	
		1		4		2		
		2		5		6		
		9		1		7		
		3		2		9		
	1		8		9		3	
	2		1		3		5	

Difficulty

*****

Beginner **50**

							8	5
		2		8		4		7
		8	3		7			2
		4	7	2			1	
8	2					5	7	
		7	8	6			2	
		3	2		8			9
		5		1		8		6
							3	1

Difficulty

*****

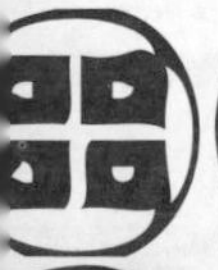

Beginner 51

	1	2	3				9	
		4					5	
5	6	7	8	9				
		6						1
		8	2					
					5	4		
								5
1	2							3
			4		3	2	1	

Difficulty

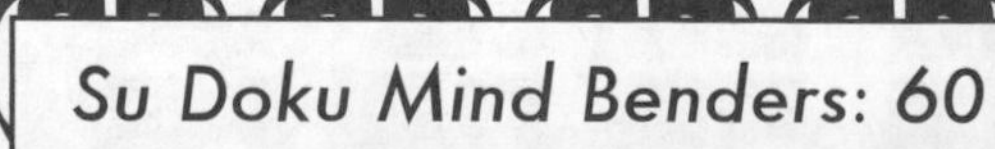

Beginner **52**

	9	4				8	7	
3			7		4			2
8				5				1
	7			3			4	
		1	5		8	6		
				9				
			8		7			
		2				9		
	4						6	

Difficulty

*****

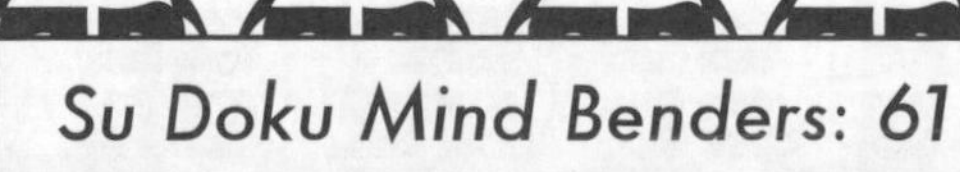

Beginner **53**

9	1			4			7	5
			5		2			
		8				1		
	4			9			2	
8			2		1			6
	2			7			8	
		1				7		
			3		5			
3	9			6			4	2

Difficulty

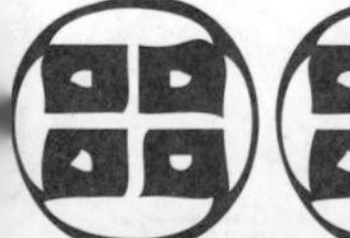

Beginner 54

	3					8	9	6
	1	2					7	
	4						2	1
5	6	7					1	
				9				
		4	6	2	5	3		
		1		5		2		
		6	4	3	2	1		
				1				

Difficulty

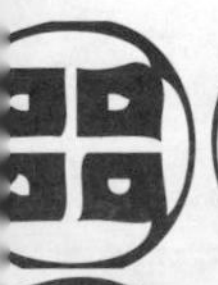

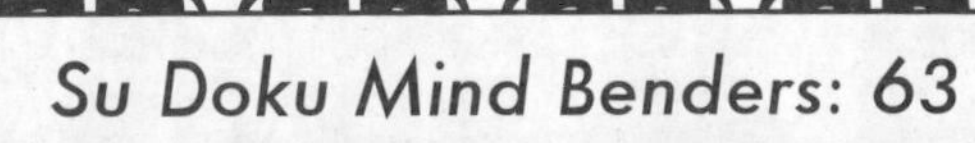

Beginner 55

	8						6	
7	6						1	8
		1	8		5	7		
		9	1		2	5		
				5				
		2	3		8	6		
		4	6		3	1		
5	2						3	6
	1						9	

Difficulty

Beginner **56**

1			8			2	5	3
2			9				1	7
3	6	7	1					
4			2					
5			4		7	1	6	8
					8			
		1			2	5	4	
	4	2			1			
	5	6			4	3	2	1

Difficulty

✱✱✱✱✱

Beginner 57

	1	9				4	6	
7			2		5			8
	7			6			3	
		8		3		7		
	4			5			1	
8			9		7			5
	3	1				6	2	

Difficulty

*****

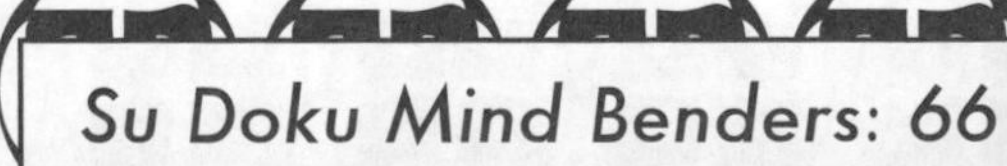

Beginner **58**

	5						9	7
1	2	3	4					6
	8		5					
	7		6					
3			7		5	2		
		9	8					1
								3
5							2	
4	3				2	1		

Difficulty

*****

Beginner 59

2						8		5
	1		8		5		3	
9					1			2
	5		6			1		
		1				5		
		2			3		9	
1			4					7
	4		5		6		8	
5		7						9

Difficulty
*****

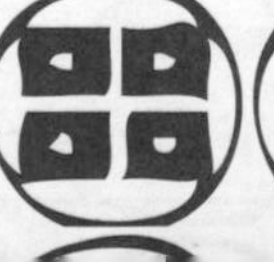

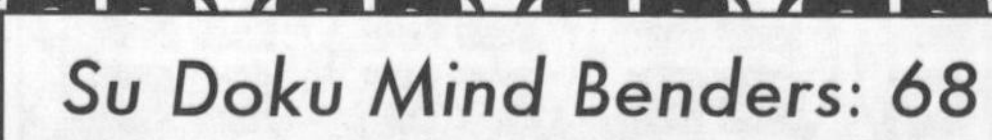

Beginner **60**

1	2	3	4	5		7		
				6		1	8	
	9		7				2	4
	5	8						
	4			8	7	9	6	2
2								1
					1		3	
6	1	9				2		
		4	2				1	

Difficulty
*****

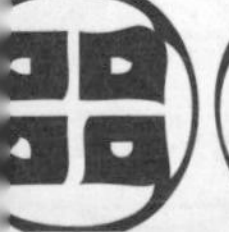

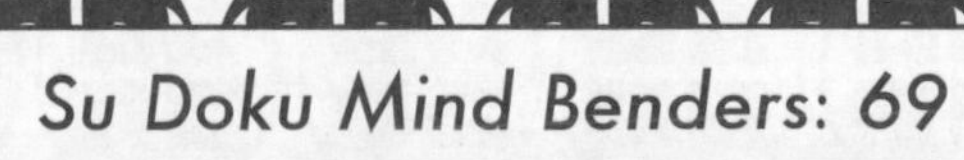

Beginner **61**

7								4
		1	2	3	4	5		
		3		7		6		
		2	8	9	5	7		
		7						
		9				2		
			3	2	1	4		
2	1							3
	3						2	1

Difficulty
*****

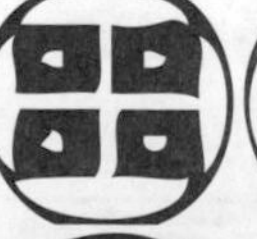

Beginner 62

1	6	7				5	2	3
2		8			5			
3	9				6		7	8
4		3			8			6
5		6	9	4		3	1	
			3		1			
			6	5				
			4		3			
			2	1				

Difficulty

*****

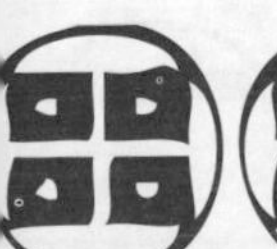
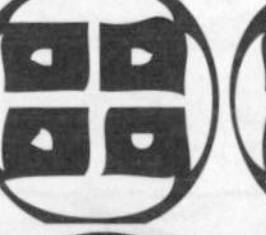

Beginner **63**

7	9						1	3
4	3		5		1		7	2
		1	3		7	8		
	1	6				2	4	
				8				
	2	7				5	8	
		2	4		3	1		
1	5		2		9		6	8
6	7						2	4

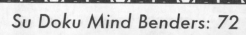

Difficulty

*****

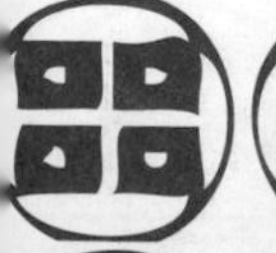
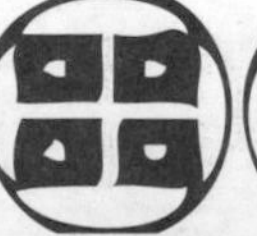

Beginner **64**

	2						3	
4		3	1	9				8
				2			9	
			2		4		7	
	7	8				5	6	
	3		5		8			
	6			8				
9				3	1	7		2
	1						5	

Difficulty

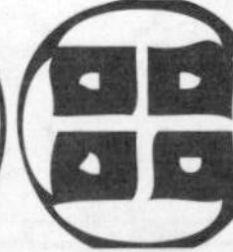

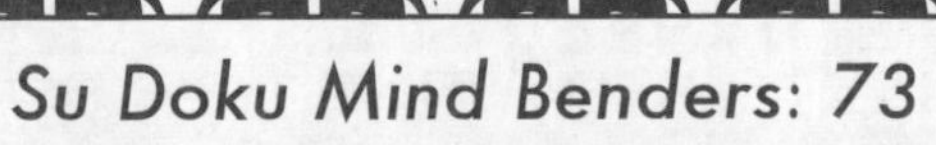

Beginner **65**

5	6							4
9			7			8		
		1	2	3	4	5	6	
3			9			6		
		5	8	1	6	3	2	
2			3			1		
		3				2		
1								3
6	2			7	3		5	1

Difficulty

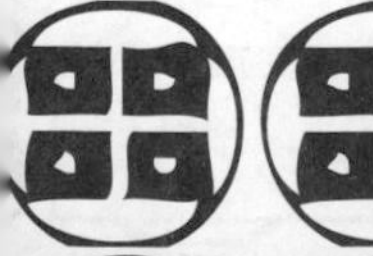

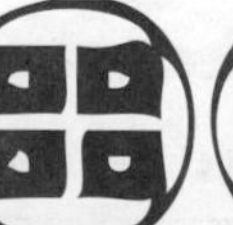

Beginner 66

				6				
			9		2			
		2		5		3		
	9		6		3		4	
3		8				7		1
	7		8		9		6	
		3		8		2		
			4		7			
				3				

Difficulty

Beginner 67

3								1
		9		4		5		
	6		3		7		4	
		1		9		8		
	9		8		6		7	
		4		3		2		
	7		5		1		9	
		8		6		7		
1								8

Difficulty

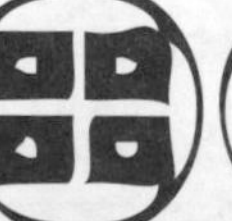

Beginner **68**

	3	5			1			
2			6	4				
						8	6	
	7	6			8			3
4				3				5
5			9			6	2	
	2	4						
				5	9			8
			1			7	3	

Difficulty

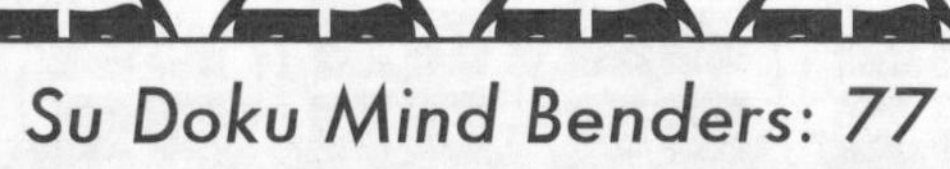

Beginner 69

	6						8	
4				2			7	6
		7	9			5		
		9			8			
	8						4	
			1			2		
		3			7	9		
2	4			6				3
	7						2	

Difficulty

Beginner 70

4			1	6				
		5					4	
	7				3			2
1			2			7		
		4		7		6		
		8			5			3
2			4				7	
	6					3		
				5	8			1

Difficulty

Beginner 71

			6			8		
2		7			9			
	3					1		4
				8			3	
1								7
	8			4				
6		3					5	
			5			6		3
		9			7			

Difficulty

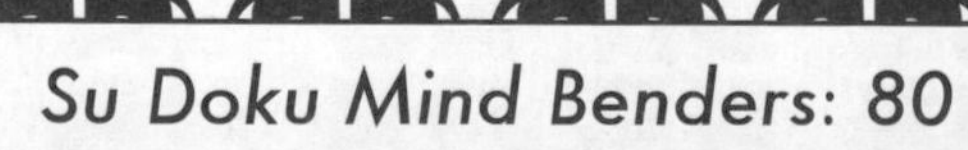

Beginner **72**

		5			9			2
			2			4		
9	8			6			3	
4		3			8			
	7						6	
			5			2		3
	3			7			9	8
		9			5			
2			3			7		

Difficulty

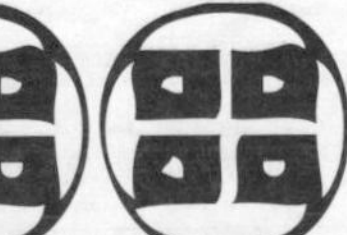

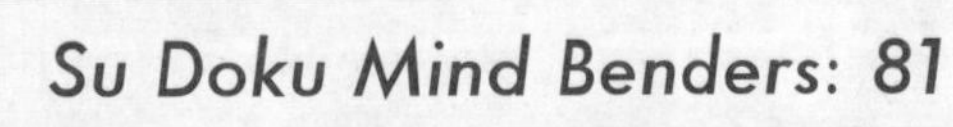

Beginner **73**

							3	4
	2			3				7
	4		1			6		
		2			5			9
	8						2	
5			4			8		
		6			9		5	
9				7			8	
3	5							

Difficulty

*****

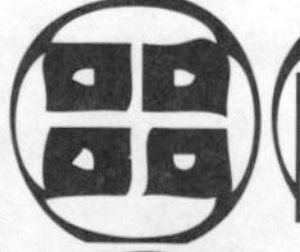

Beginner 74

	3			4				
7			8			2		
		4			6		7	9
			9					8
	1						4	
2					5			
3	8		2			5		
		2			8			1
				9			6	

Difficulty

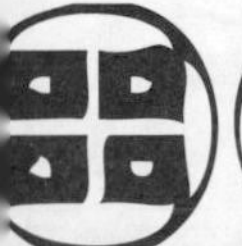

Beginner 75

		1			6			
	8		3				1	
		4		8		5		6
7				9			8	
		9	2		8	4		
	3			5				1
1		7		4		6		
	2				7		3	
			9			8		

Difficulty

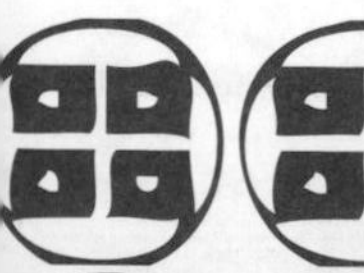
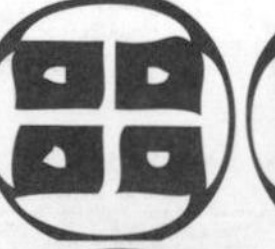

Beginner 76

	1					9	7	
			6		3			
6			1	8			5	
				9				4
	2						6	
3				1				
	8			3	5			1
			7		2			
	7	2					4	

Difficulty

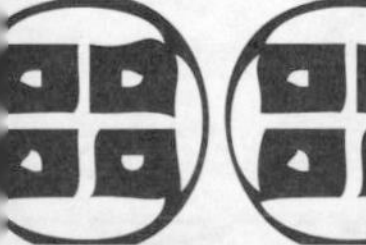

Beginner 77

			8		6			
		7				6		
	4			3			5	
9			3		4			2
		6				5		
5			2		1			4
	9			4			1	
		3				9		
			1		7			

Difficulty

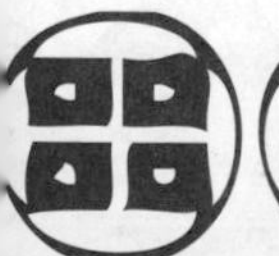

Beginner **78**

		7	8				3	
	4			6		2		8
	5				2			
1				2				6
			3		4			
5				7				4
			7				8	
2		6		4			9	
	8				3	6		

Difficulty

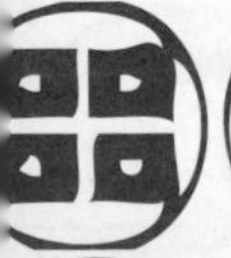

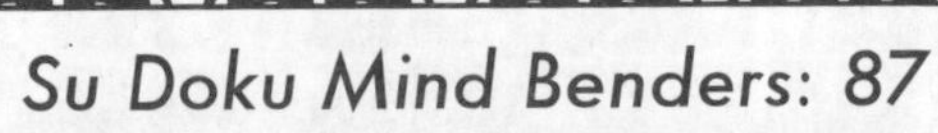

Beginner 79

		6				3		
		4					1	
2	5			6				8
				8				
		3	4			7		
						4		
8				9	5			3
	1							2
		7				6	9	

Difficulty

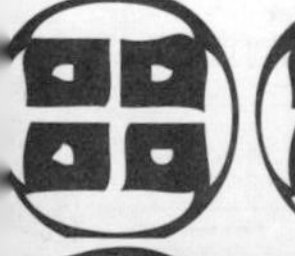

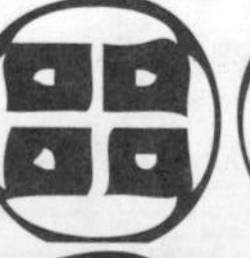

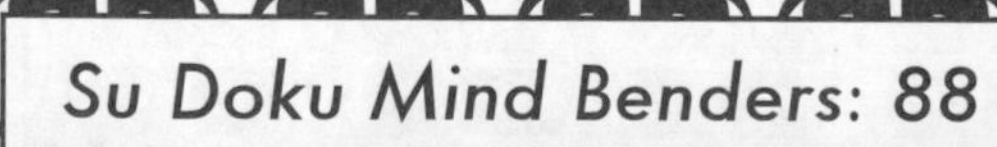

Beginner **80**

		2						
	3	4	5					
			6				8	3
							4	6
9				8				2
7	8							
6	9				7			
					4	5	2	
						3		

Difficulty

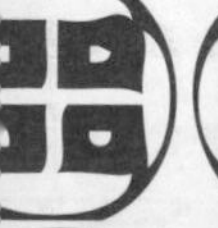

Beginner **81**

			8		9			
6			3		5			4
9								3
				7				
	9			2			4	
	2						8	
			5		2			
8			6		4			7
3								6

Difficulty

Beginner **82**

	7	9	2	5			1	
	8			6				
	2	8						
		7	4		2	9		
					7	3		
				9			4	
	1			8	3	5	6	

Difficulty

*****

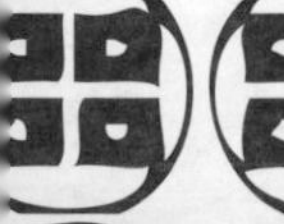
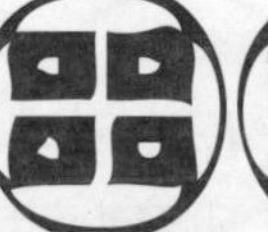

Beginner **83**

		7				2		
	9		3		7		5	
				8				
		2				8		
	5		9		3		6	
				5				
		4				7		
	3		4		6		9	
				7				

Difficulty

Beginner **84**

			2					
		1				6	3	
	8				4			5
					6			7
	2	9				5	4	
3			8					
4			7				8	
	5	6				1		
					3			

Difficulty

Beginner 85

				3	4			
	1	4		9	8			
	2	3						
							6	9
9	8						5	2
7	6							
						5	7	
			7	6		3	1	
			5	4				

Difficulty

*****

Beginner **86**

	2		7		4		8	
2			5		8			9
	8						6	
9		6		1		7		2
	4						1	
6			3		5			1
	7		4		6		3	

Difficulty

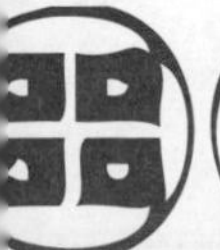

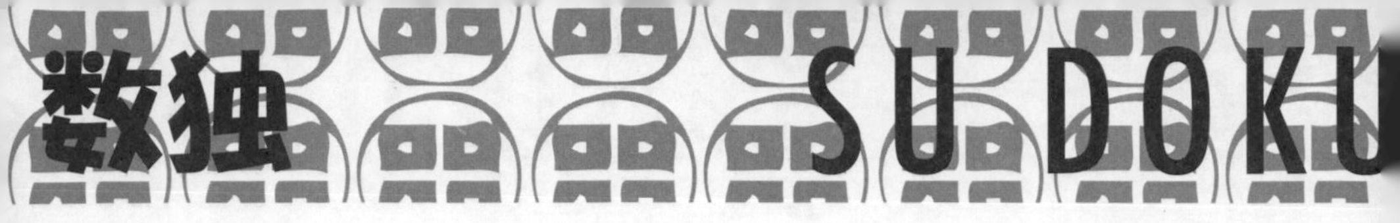

Beginner 87

		7		9	1	2	3	
			8					
6			7					
5		6			7	3	4	
4								5
	3	2	1			7		6
					8			7
					9			
	4	3	2	1		8		

Difficulty

*****

Beginner 88

		1		9				
	8		6					5
		7					4	
			2			3		6
	4			1			8	
9		2			5			
	6					1		
5					2		3	
				7		8		

Difficulty

Beginner 89

	8				4	7		
	4		7				2	5
			3					
5					1	6		
2								9
		3	4					7
					5			
6	7				9		8	
		8	1				3	

Difficulty

INTERMEDIATE

Intermediate 1

		5			9	1		
			2			4		
		6					3	9
	4				3			5
		9		6		7		
7			8				9	
3	5					8		
		8			7			
		4	1			2		

Difficulty

*****

Intermediate 2

	8	3						
	5		6				1	9
		9	2			7		3
						5	2	
				9				
	3	7						
1		2			4	8		
8	4				7		9	
						1	6	

Difficulty

*****

Intermediate 3

7				1				4
			3		2			
		9				8		
	2						5	
		6				4		
8			7		5			9
	5			3			8	
3			4		8			1
		2				9		

Difficulty

*****

Intermediate 4

	4						8	
5			4	9	2			3
		1				6		
3								7
			6	5	3			
		2				9		
7								2
			5	1	4			
		3				8		

Difficulty

*****

Intermediate 5

			5	7		9	6	
5						8	4	
3		1	6					
		8	9		2	5		
					3	7		4
	6	3						1
	9	7		8	4			

Difficulty
*****

Intermediate 6

					1		2	
	2	9	7					
8			4			7		5
1	7	3						
				3				
						3	9	6
3		1			4			2
					2	9	5	
	6		5					

Difficulty

*****

Intermediate 7

	4				1		7	
3			2			9		
		9		8				5
	3				9		2	
1						7		
			6					
		4		1				3
	1				7		8	
5			3			6		

Difficulty

Intermediate 8

1				7				3
	5	7				1	8	
	2			1			7	
			9		6			
8		1				2		6
			1		3			
	1			6			4	
	7	6				9	1	
3				5				2

Difficulty

*****

Intermediate 9

	4						8	
8								6
			1			9		
		2		9	8	4	5	3
	3	5			7		6	
4		6			2		1	
		7			1		4	
		8		5	4	3	2	1

Difficulty

*****

Intermediate 10

9						8		
	7				5			2
		5		2			4	
6			8			5		
	4						2	
		9			3			4
	3			9		7		
5			6				9	
		8						5

Difficulty

Intermediate 11

	1						5	
6			7		8			9
		2				8		
	2		6		9		4	
7								6
	3		8		1		2	
		5				6		
9			5		2			8
	4						1	

Difficulty

*****

Intermediate 12

2						3		
	1			3			4	
		5			8			7
3			7			6		
	6						2	
		8			5			1
4			2			8		
	5			7			1	
		7						9

Difficulty

*****

Intermediate 13

		9	6					
		7			1			
					2		8	4
	2	4			3			1
3			5			6	7	
5	6		7					
			1			9		
					4	3		

Difficulty

*****

Intermediate 14

		6	5					2
		7	1					6
		1	2					7
	3						8	
	2						1	
	6						9	
4					7	3		
6					8	4		
9					3	5		

Difficulty

*****

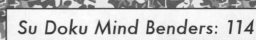

Intermediate 15

7								2
		2						
	6	8	9			7		
		5			6		8	
1				5				9
	2		4			6		
		3			8	4	7	
						2		
5								3

Difficulty

*****

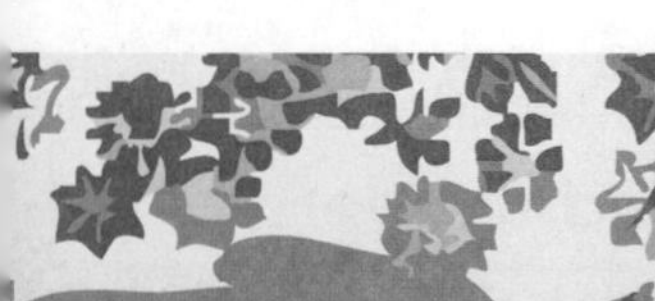

Intermediate 16

6				3			2	
2						7		
		9				5		
	7				8			4
	3						1	
5			6				7	
		2				9		
		4						8
	6			5				2

Difficulty

*****

Intermediate 17

3			4				8	
		5				7		
	6				8			2
6				1		3		
	5						7	
		7		3				6
7			1				2	
		2				5		
	8				7			9

Difficulty

*****

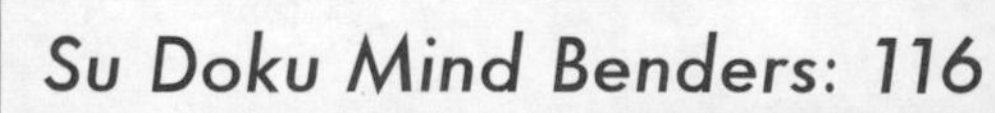

Intermediate 18

					1			8
	6	8				5	2	
2			4					
7					3			
	2	9				1	7	
			2					4
					9			6
	3	7				8	5	
5			3					

Difficulty

*****

Intermediate 19

	4				7			
8		1		5		9		
7				3				
		2				8		
	9		7		3		6	
	3				4			
			5				1	
		4		8		3		7
		9				2		

Difficulty

*****

Intermediate 20

	8				4		2	
3			9					7
	4				6			
			8				6	
7		1		2		5		8
	6				9			
			2				1	
2					1			3
	3		7				8	

Difficulty

*****

Intermediate 21

	4				8		5	
2						8		7
	3			1				
6			8		2			
		7				3		
			6		4			2
				5			7	
9		2						8
	5		4				6	

Difficulty

Intermediate 22

9								6
		6	3		9	2		
		8				4		
7			1		5			4
				9				
1			6		2			9
		4				1		
		3	7		8	5		
2								7

Difficulty

*****

Intermediate **23**

6								
	1				3	7		
		9		5			6	
			9					3
1				4				2
4					1			
	7			9		6		
		3	4				1	
								5

Difficulty

*****

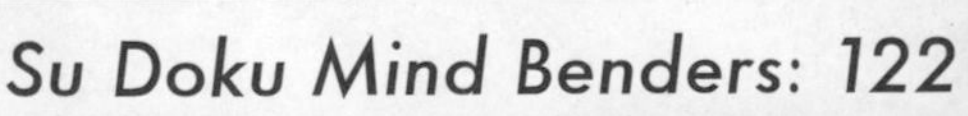

Intermediate 24

		8	6	2	3			
	4					7		
5						1		
2					1			
6				7				5
			8					9
		9						8
		1					3	
			7	4	6	2		

Difficulty

*****

Intermediate 25

					4	1		
						5	9	
		1	2	3				
7		5		4				
2	4	6				3	5	7
				2		8		4
				7	8	9		
	5	9						
		8	6					

Difficulty

*****

Intermediate 26

		4		5		6		
		1				2		
6			9		1			4
			5		7			
8	3	9		1		4	7	5
		6	4		8	3		
	9			7			8	
			3		9			
				2				

Difficulty

Intermediate **27**

	5						2	
7								9
		1				8		
		2	4	5		1	8	7
	3		6		1		5	
			7				4	
			5				3	
3			9			2	1	
	1							

Difficulty

Intermediate 28

			7		5			
	5			4			7	
		9				8		
4			6		1			3
	9			7			2	
2			3		4			1
		6				5		
	4			8			9	
			9		7			

Difficulty

*****

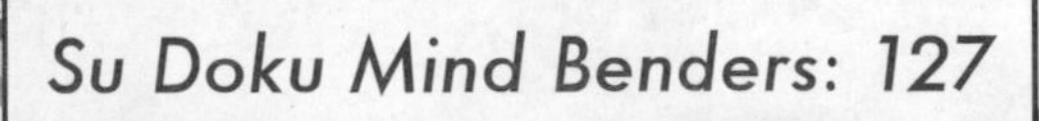

Intermediate 29

5	4						3	9
9						8		5
	2				4			
		5		3				
			2		8			
				7		9		
			3				5	
2		7						1
3	5						8	6

Difficulty

*****

Intermediate 30

			1				7	
		2						4
	3	5						
4		6						
		7			9	5		
		8						2
					5	9		8
8	2							3
	4				3	2	1	

Difficulty

*****

Intermediate **31**

	1						8	
2		5						
3	8	6	9	4				
4		7	8		1			
			7	6			9	
			4		5	2		1
			2	1		4		
						3		2
	2						1	

Difficulty

Intermediate **32**

			6		5			
		7				3		
		8		1		9		
	5						6	
	8		2		3		4	
2								1
1		4		5		6		2
	7		8		9		1	

Difficulty

*****

Intermediate 33

		9	5			8	6	
6				4				5
	2		3		6		9	
		1				6		
			2	5		7		
		4				3		
	1		7		9		8	
8				6				1
		7	1			9	3	

Difficulty

Intermediate **34**

		9		7				
		6	2		3	7		
	4			9			2	
	5				1		4	
1		4				2		7
	8						9	
	9						8	
		1	3		6	9		
						1		

Difficulty

*****

Intermediate **35**

3					1			
	2		3				4	
		4		8		6		2
5					3			
	3	2		6		5	1	
			7					9
2		9		5		1		
	6				4		8	
			1					6

Difficulty

*****

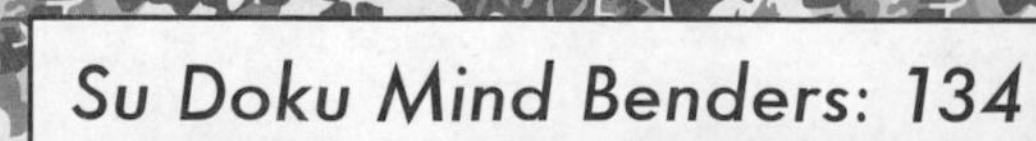

Intermediate **36**

		5	6	2	9	8		
	8						3	
9								6
7			4		6			9
3								1
8		9				4		3
5			9	8	2			7
	1						9	
		8	7	1	3	2		

Difficulty

*****

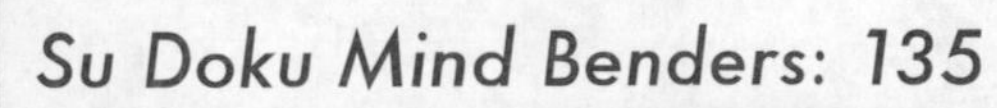

Intermediate 37

	3		7			1		
1				2	9			6
		2					4	
		9	8		3			2
	1					5		7
			4					
				1		6		3
6		4					8	
	2			9				

Difficulty

*****

Intermediate 38

8				9			5	3
	4			5				1
	7							
							4	
6			8		7			
		9				1		2
	3					6		
				4	1		8	
	5			2				9

Difficulty

*****

Intermediate 39

6		9						
			4			1		7
	3			5				
2					8		3	
		7			9		2	
	1			2			8	
					6			3
4			1					
		5				8	9	

Difficulty

*****

Intermediate 40

				6				9
	7			8	1		3	
		4		9		8		
9								5
1			2	5	9			4
6								2
			4	3			1	
	2				7			
3	8					6		

Difficulty

Intermediate 41

	9			8	3			
	7					6	5	
		2	5					3
	6				9			
5						1		4
	2						3	
				7				1
3					6	7		
		4	1					8

Difficulty
*****

Intermediate 42

							2	
5			2	6	4			9
	3	7				1		
	8				5			
	4			2		6		
1			4				7	
4					9			
		1		3		2		5
6								

Difficulty

*****

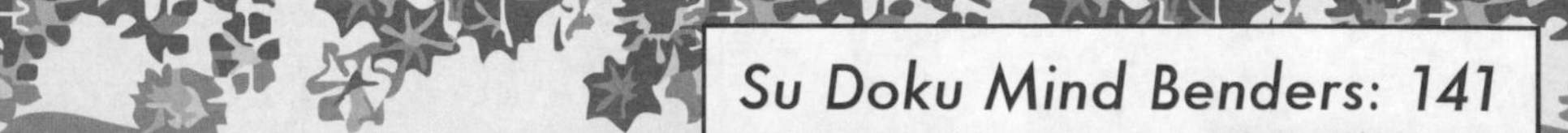

Intermediate 43

9				2				3
	8		4		6		5	
		4				1		
	1			9			3	
3			5		1			9
	5			8			7	
		1				2		
	7		9		5		8	
4				3				7

Difficulty

Intermediate 44

3	5						2	9
4	9						3	1
		6	2		3	8		
		1	9		2	4		
		3	5		7	2		
		7	4		5	9		
9	6						1	7
8	2						6	4

Difficulty
*****

Intermediate 45

4			9	7	1			6
		1				5		
		6		8		4		
9		8				2		5
			5	9	4			
3								1
	6			2			3	
		4				7		
2			1		3			9

Difficulty

*****

Intermediate **46**

5		4				7		1
			1		7			
1		3				9		2
	9			7			1	
8		6	9		2	4		5
	8			1			6	
			7		3			
7		1		8		5		3

Difficulty

*****

Intermediate 47

9				1				2
5				9				6
	3		7		5		8	
		3		8		6		
1		4	5		6	8		7
		8		2		9		
	7		6		9		5	
8				5				1
2				7				3

Difficulty

*****

Intermediate **48**

		1	8		3		6	
7	3			9			8	
					5			7
		6	4		7			
	2			8			1	
			5		6	4		
1			7					
	9			3			2	5
	4		9		8	6		

Difficulty

Intermediate 49

			5	2	1			
				4		7		
				6			9	
				5			1	
	4	7	3		8		5	6
2				7			3	
7		1					6	
	2	4		3		5		
			4		9			

Difficulty

Intermediate 50

	1		9				7	
9				5				2
		6				5		
			1		9			3
	2			4			6	
6			2		8			
		5				1		
7				3				4
	3				2		5	

Difficulty

Intermediate 51

		4	3	8				
						9		
	7				1			8
		6		3				2
1			8		9			4
8				5		6		
4			2				1	
		7						
				1	7	5		

Difficulty

*****

Intermediate 52

		8			2			3
	9			1			8	
5			7			2		
	1			9			4	
		4			8			5
	7			4			2	
7			1			8		
	5			6			9	
		6			5			7

Difficulty

*****

Intermediate **53**

8			2		3			4
	1			7			9	
			8		1			
4		7				3		1
	5			6			7	
		1				4		
			5		7			
3				2				7
	7						8	

Difficulty

Intermediate **54**

		7				4		
			6		3			
3				1				8
	6		8		4		2	
		9		5		7		
	4		3		6		9	
5				8				2
			2		7			
		1				9		

Difficulty

*****

Intermediate 55

2							1	9
			5		9			
7		1				5		
		4		8				
6			1		3		2	
	5			7				3
3			9				7	
				4				2
	7				2	6		

Difficulty

*****

Intermediate 56

		9	3		6	2		
	7			9			6	
	2			7			3	
9			5		3			8
	6			8			7	
	9			4			2	
		5	7		9	3		

Difficulty

*****

Intermediate 57

		4	8					
			4				2	5
		3	9					6
							9	4
1	7							
6					5	9		
2	5				1			
					7	1		

Difficulty

*****

Intermediate 58

2	9							
		6			8	5		
			4				7	
			8					2
8								9
3					9			
	7				6			
		5	2			4		
							2	3

Difficulty

*****

Intermediate **59**

6							4	
				2		5		
	9		3			6		
1			4				7	
2				5				8
	3				6			9
		4			7		5	
		5		8				
	6							4

Difficulty

Intermediate 60

3			6	5	7			2
	2						1	
		8		1		6		
7				2				8
1			9	8	6			7
5								3
		6				5		
	3						9	
9								4

Difficulty

Intermediate **61**

		5				7		
8			4		1			6
	2			7			5	
		7				1		
			6		4			
		4				3		
	1			2			4	
6			7		8			3
		9				2		

Difficulty

*****

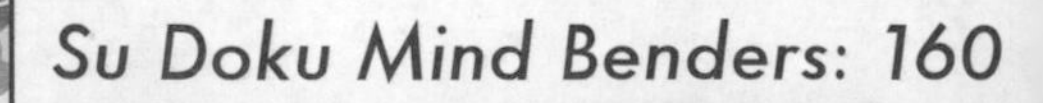

Intermediate 62

			8	3	1			
					4	5	7	
9							8	
4							6	2
5								9
8	6							7
	5							6
	7	1	2					
			3	1	6			

Difficulty

*****

Intermediate 63

		4	7	9				
	6				2	5		
8						3	7	
5							1	
7				4				8
	8							5
	3	2						4
		1	3				8	
				1	6	9		

Difficulty

*****

Intermediate 64

8	6	7	5	1				
4			2					
2		3						
5	2							
1								7
							8	3
						9		5
					8			1
				7	3	6	4	8

Difficulty

*****

Intermediate 65

				4	9			
1						6		
4				8			5	
6					3		7	
				7				
	8		2					9
	9			5				4
		2						1
			6	3				

Difficulty

*****

Intermediate 66

					5			
	9					7		
		8			6	9		
	3				1		5	
		1				6		
	7		2				8	
		4	7			2		
		5					6	
			9					

Difficulty

*****

Intermediate 67

1					6			3
	7			5		8		1
		9			2			
			9				7	
		5				6		
	4				8			
			3			9		
8		3		7			2	
4			1					5

Difficulty

Intermediate 68

	9	6		7	2			
2			3			7		
3						2		
	7				5			
		2		3		4		
			7				9	
		3						5
		4			6			7
			2	4		6	1	

Difficulty

*****

Intermediate 69

		7	4	5				
	8				1	2		
9							3	
8							6	
		6	7	4	8	9		
	5							7
	9							4
		2	3				7	
				6	9	8		

Difficulty

*****

Intermediate **70**

		7						
		6			3	7	9	
8	3				9		5	
					7	1	3	
	9	2	4					
	1		9				2	4
	2	4	6			5		
						8		

Difficulty

*****

Intermediate 71

8				7				
			3			7		
		1			8	4	2	
	6					3		
4				9				6
		5					8	
	5	9	7			6		
		2			1			
				6				3

Difficulty

*****

Intermediate 72

			1					
4				2				
	5			3	4			
	9	7			5	6		
		3	9		6	7		
		8	4			1	5	
			7	6			2	
				5				4
					9			

Difficulty

*****

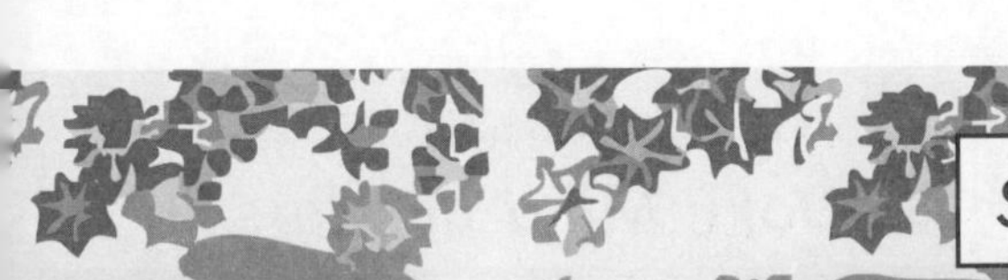

Intermediate **73**

		1	2	3				
		4	5		9	8	2	
		6				1	3	
	3						7	
	9	5				4		
	1	2	4		5	6		
				7	8	9		

Difficulty

*****

Intermediate 74

	4	5					1	
1			5			3		4
	3			1			7	
			3				9	
		9				6		
	8				2			
	5			9			3	
8		1			4			6
	7					2	8	

Difficulty
*****

Intermediate **75**

	7						3	
2								6
			9	3	1			
		5	7		8	3		
		8		9		5		
		9	4		2	6		
			8	4	7			
4								9
	5						8	

Difficulty

✱✱✱✱✱

Intermediate 76

8		9		1		5		4
			6		4			
3								6
	2						7	
1				7				2
	9						5	
4								5
			1		7			
7		5		8		9		3

Difficulty

*****

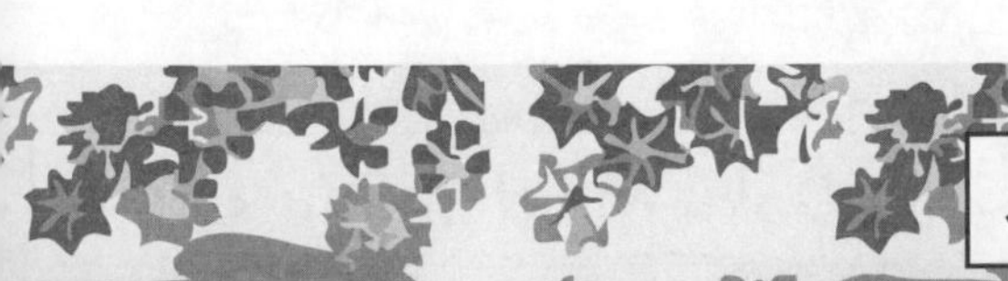

Intermediate 77

	2	1	4		9	6	5	
	7		5		6		1	
	3	2	1		7	8	6	
				5				
	8	4	9		3	1	7	
	5		7		8		4	
	4	6	2		5	7	9	

Difficulty

*****

Intermediate 78

4			3		2			7
	8			1			9	
					7			
3					9	6		5
	4						1	
9		5	6					4
			1					
	2			8			7	
8			2		6			1

Difficulty

*****

SU DOKU

Intermediate 79

		9				2		
	8				2		9	
1				9				8
	7			8				
		5	3	1	6	9		
				7			6	
3				2				7
	6		9				4	
		8				1		

Difficulty

*****

Intermediate 80

5								1
		9	4		1	3		
	3			5			9	
	2		7		8		4	
		4				7		
	5		3		4		1	
	6			4			8	
		5	9		2	6		
2								7

Difficulty

*****

Intermediate 81

6			8			5		
	9			6			3	
		5			4			8
	2			1			6	
1			6			4		
		3			7			1
5			3			2		
	4			2			1	
		6			8			9

Difficulty

*****

Intermediate 82

1		3		4		2		
	4		5		8		9	
	2		3		4		5	
		9		8		6		2
7		1		9		3		
	8		2		6		4	

Difficulty

*****

Intermediate 83

	1					5		
6	7				2	4		
			8					2
		9	5				3	6
					8			
	2			4	1			
8	4						1	
			7			6	9	
		5	1					

Difficulty

*****

Intermediate 84

	4					1		
			5	7			8	2
9					8			
		6	2			3	9	
				5				
	7	8			4	2		
			6					7
6	3			8	1			
		1					2	

Difficulty

*****

Intermediate 85

	4			8			2	
5			7		9			3
		9				4		
	3			2			8	
		7				3		
9			3		5			7
	8			6			5	

Difficulty

*****

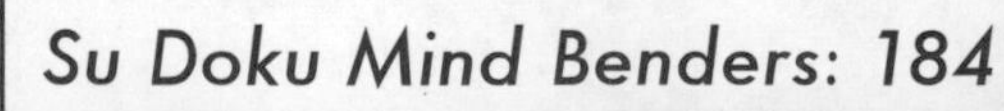

Intermediate 86

	9		8			7		
						2		9
6	8		3					
						8		6
				1				
2		4						
					5		2	8
5		7						
		3			6		4	

Difficulty

*****

Intermediate 87

5	8		6					
			9				6	
				4				8
	9	7						5
			2		3			
6						8	4	
2				7				
	5				2			
					5		9	3

Difficulty

*****

Intermediate 88

		9					6	
	2		7					8
6				5			3	
						9		
			2		4			
		4						
	8			3				9
2					6		7	
	5					4		

Difficulty

*****

Intermediate 89

		3	6					4
6					2			
		4	8				3	
8							5	
				4				
	7							3
	5				7	9		
			9					6
2					3	8		

Difficulty

ADVANCED

Advanced 1

		3				9		
			8	3	4			
5								7
	7		5		8		3	
	4			1			9	
	3		9		6		2	
7								6
			6	2	1			
		1				5		

Difficulty

Advanced 2

		9		6		7		
	8						1	
6			4		2			3
		6		1		5		
1			7		5			4
		2		9		8		
8			6		9			5
	6						8	
		5		7		4		

Difficulty

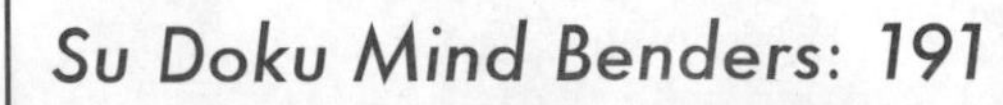

SU DOKU

Advanced 3

			6		5			
		4				5		
	7		3		1		8	
2		3				6		9
4		6				2		8
	1		2		8		9	
		2				1		
			7		3			

Difficulty

6								8
	9			2			4	
		7	3		5	2		
		3	6		8	4		
	4						7	
		6	5		1	9		
		8	9		2	5		
	3			8			2	
2								9

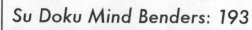

	2		9		7		4	
		3	4	8	5	7		
9			2		4			6
3				7				9
7			5		8			4
		5	8	1	6	9		
	3		7		9		1	

Difficulty

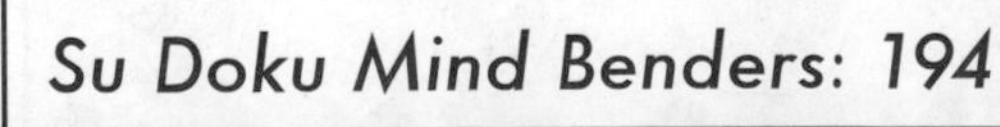

	8						2	
2				4				3
			2	7	1			
		5	1		4	7		
	1	2				5	8	
		9	6		5	4		
			4	6	9			
9				1				7
	4						9	

Difficulty

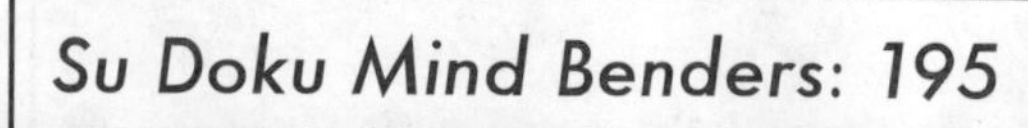

Advanced 7

		8	1	2	7	6		
4			8		5			7
8		4				1		9
6				1				3
2		3				7		5
3			6		4			2
		6	2	3	8	5		

Difficulty

Advanced **8**

	6	4	8		9	1	2	
	5	9		6		3	4	
	9		6		2		5	
		7				4		
	4		5		7		9	
	7	5		1		9	3	
	8	1	9		6	5	7	

Difficulty
*****

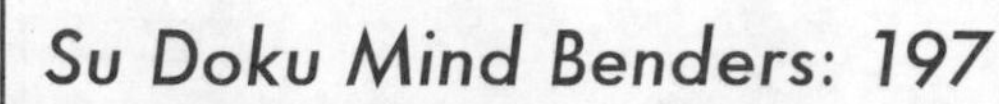

4			9			5		3
		7		3				
2			8				6	
						2		4
	3						8	
9		5						
	7				5			1
				2		9		
8		1			4			7

Difficulty
*****

		7			6		4	
			1			8		
2		9					5	
	6		5					
		3				1		
					4		9	
	1					3		6
		5			8			
	4		3			7		

Difficulty

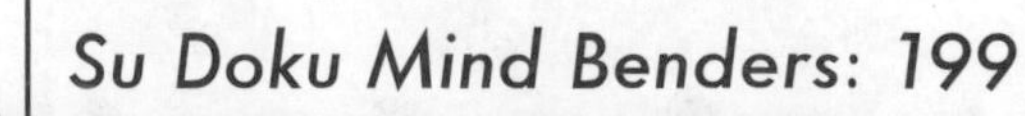

Advanced 11

4			3			7		
		8		5				4
	1				6		2	
		6				8		
		4				9		
	5		2				3	
9				7		1		
		1			8			6

Difficulty

Advanced **12**

				6		8		
5		1			7			
	6			2		4		
7		3			9			
	1						2	
			4			5		1
		8		9			4	
			6			7		5
		9		1				

Difficulty

*****

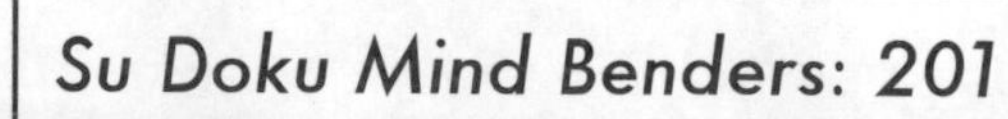

Advanced **13**

<table>
<tr><td></td><td></td><td></td><td></td><td>4</td><td></td><td></td><td>5</td><td></td></tr>
<tr><td>7</td><td></td><td></td><td>6</td><td></td><td>2</td><td></td><td></td><td></td></tr>
<tr><td></td><td></td><td>6</td><td></td><td></td><td></td><td>4</td><td></td><td></td></tr>
<tr><td></td><td>3</td><td></td><td></td><td></td><td></td><td></td><td>6</td><td></td></tr>
<tr><td>4</td><td></td><td></td><td>2</td><td></td><td>1</td><td></td><td></td><td>7</td></tr>
<tr><td></td><td>7</td><td></td><td></td><td></td><td></td><td></td><td>8</td><td></td></tr>
<tr><td></td><td></td><td>5</td><td></td><td></td><td></td><td>1</td><td></td><td></td></tr>
<tr><td></td><td></td><td></td><td>3</td><td></td><td>4</td><td></td><td></td><td>2</td></tr>
<tr><td></td><td>6</td><td></td><td></td><td>8</td><td></td><td></td><td></td><td></td></tr>
</table>

Difficulty

Advanced **14**

			2		1		9	
		1		7				3
	8		5			4		
3					9			6
5			8					7
		2			7		8	
4				2		5		
	1		3		6			

Difficulty

*****

Advanced **15**

			7		3			
				9				
	4	3				2	6	
2			3		1			9
		5				3		
				6				
		6		4		9		
	2						3	
	7		1		5		8	

Difficulty

*****

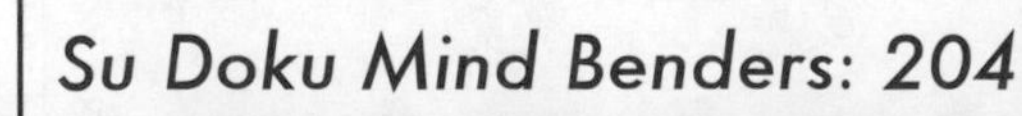

Advanced 16

				9			6	
	3	7			4	8		
4			1					
	9	1			7			8
				6				
2			9			4	7	
					9			5
		2	4			7	8	
	6			3				

Difficulty

Advanced 17

				2				
	5			4		9	7	
	7	1			3	6		
		4						
1	9						3	2
						8		
		6	8			7	5	
	4	2		5			6	
				3				

Difficulty

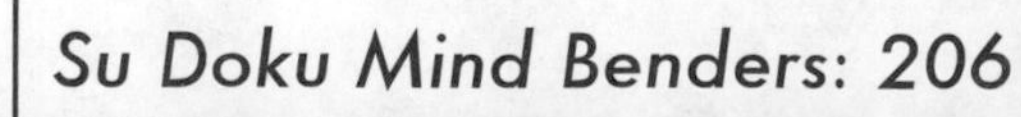

Advanced **18**

			7					8
	4	5	6				2	
	8					1		
2	9				3			
				9				
			1				5	6
		7					4	
	5				2	3	9	
1					4			

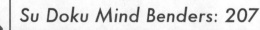

Difficulty

*****

Advanced 19

	2		6					9
1					8		4	
			5					
3		4					8	
				8				
	5					2		6
					3			
	1		9					2
9					5		3	

Difficulty

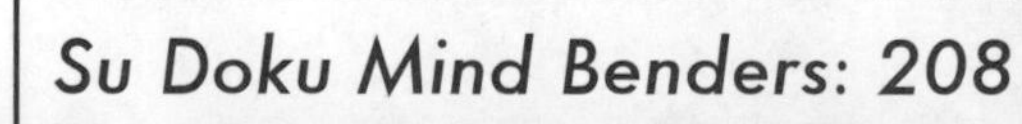

2			8			7	3	
4			7		6			
	5	6				2		
				7				
		3				5	8	
			1		2			9
	8	9			4			6

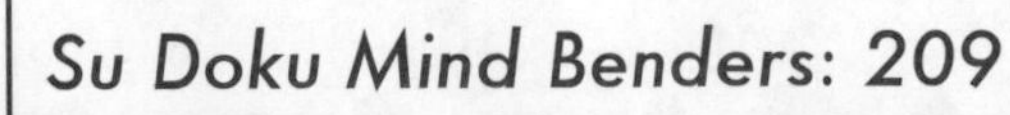

Advanced **21**

	4				9			3
		1				2		
2			5				7	
			8				2	
		3		5		4		
	8				7			
	3				4			8
		6				9		
1			3				6	

Difficulty

数独 SU DOKU

Advanced **22**

		9		1			4	
		7			2	3		
6			7					
5				7		9		
	4			5			6	
		6		8				5
					3			1
		3	5			2		
	2			4		8		

Difficulty

*****

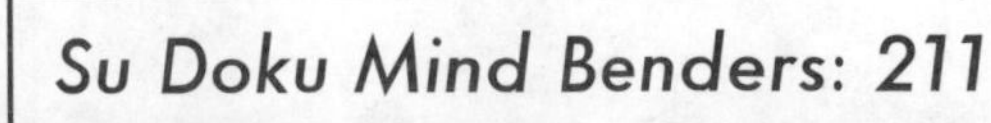

	1			7				4
6					8		7	
		4	6					
		2	8				5	
5								2
	8				3	9		
					9	3		
	2		3					9
4				6			1	

Difficulty

1	2			8				9
5			9				1	
		8				2		
	8				6			
7				1			8	
			4					3
		4						6
	1			5			9	
2					4	3		

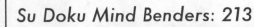

Difficulty

Advanced 25

			4					1
	6	5				7		
7					2		9	
		3		8				5
	5						7	
4				9		2		
	3		1					6
		2				4	8	
9					8			

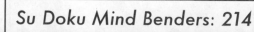

Difficulty

*****

Advanced 26

1	2							4
		3						
	4		8	9				
		5			2			
7	6			4		9	8	
					9			7
			5	1			4	
								3
3						2	1	

Difficulty

*****

Advanced 27

		2	7		3	9		
				4				
8								7
4				9				8
	9		4		6		3	
3				7				5
5								9
				6				
		7	1		9	6		

Difficulty

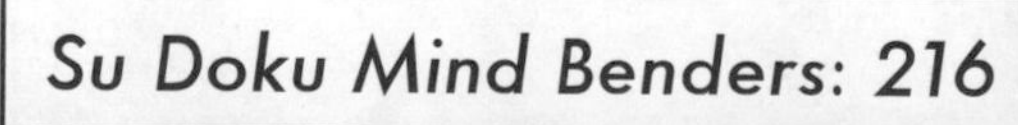

Advanced **28**

	8					3		
1	2	3	4	5			9	
	9			6				5
	4		7					
	6					8	5	
					3			1
				1				3
							2	
		4			2	1		

Difficulty

*****

Advanced **29**

	7					1	2	
						5		3
			8	9		6	4	
			5		9	7		8
			4	8				
5		2	3		1			
4		3	2	1				
	1							
	2						1	

Difficulty

1	2	3						7
	4						6	
	5		7	8				3
	6		9		1			
			4	5				
			3				7	
3						5		4
	1					3		2
2							1	

Difficulty

*****

Advanced **31**

3		6		2		1		
2		9		6		5		
5			7				4	
	2				8			7
		8		4		9		6
		1		9		2		4

Difficulty

*****

Advanced 32

7	9	4	2					
3			8					
5			1					
4	8	1	5					
					6	4	8	2
					1			9
					7			3
					9	7	5	4

Difficulty
*****

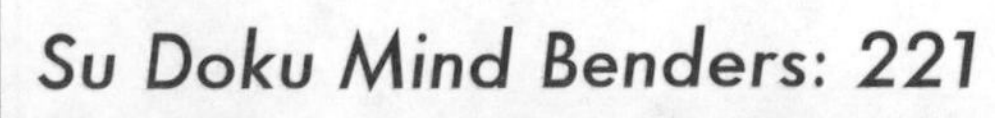

Advanced 33

		8			9		7	
2								
			1	4				6
8			9		2	3		
		6				2		
		1	5		7			4
6				8	4			
								3
	4		2			7		

Difficulty

Advanced **34**

	8						6	
		1		2				4
7					8			
	3		6			5		
				9				
		8			1		4	
			7					8
9				5		3		
	4						2	

Difficulty

*****

Advanced 35

			8	4		2		
		7			1			
		9			3			
	5		6	2				
2								7
				8	4		6	
			7			5		
			1			8		
		1		6	5			

Difficulty

Advanced **36**

				1	2			
9					3	4		
8	7					5		
	6	3						
				9				
						6	7	
		6					3	5
		2	8					4
			4	7				

Difficulty

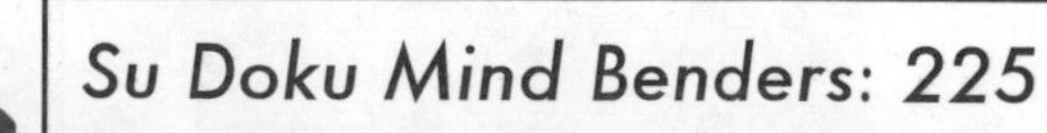

Advanced **37**

				5	2			
		2			9	3		
	1	3				7	2	
5	7							
3								7
							5	4
	9	5				1	4	
		4	6			2		
			8	1				

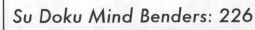

Difficulty

	5				1	7		
3				2			8	
			3				9	
			4		5	1		
				3				
		8	7		6			
	2				7			
	9			8				7
		5	9				3	

Difficulty

*****

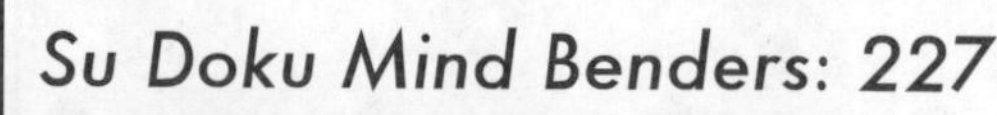

Advanced 39

9								5
		1		3				
				6	9		8	
6	1							
		8	9		3	2		
							7	9
	2		5	8				
				1		7		
5								3

Difficulty

	8			6			9	
	4						5	
			1		2			
7								2
5		9				3		6
				7				
	7			4			1	
9			3		6			5

Difficulty

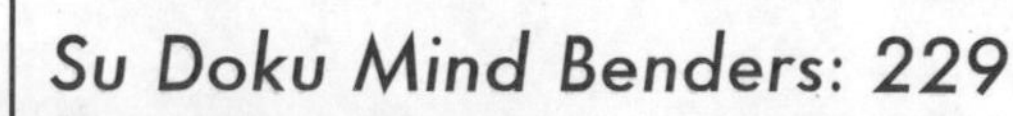

Advanced 41

	3	1			9			
7			8					
5			2			7		
1			9					8
	6	4						
					2	5	1	
	5			4				7
		7		9				6
					6	8	3	

Difficulty

*****

Advanced **42**

		7	6					8
9	8				5	6	7	
				4				
	1	2	3			8		9
5		6			2	3	4	
				1				
	7	8	9				1	2
6					8	9		

Difficulty

*****

SU DOKU

	5			9				
		8	3				6	
1						4		7
7					6		5	
		1				2		
	2		4					8
2		4						9
	6				8	1		
				5			3	

Difficulty

*****

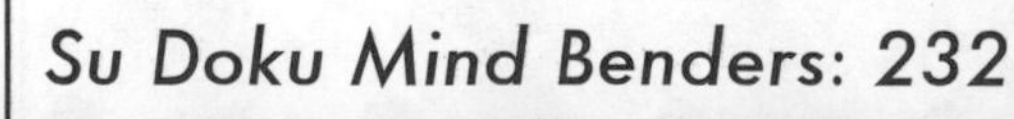

		6	2					
				4	7	2	9	
				9			8	
				2	6	1	7	
	4	7	3	8				
	5			1				
	3	1	4	7				
					2	4		

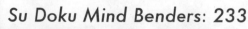

Difficulty

		4						
9			5				2	
8	7			6				3
6			7				9	
		2				5		
	1				8			4
3				4			6	8
	5				2			1
						7		

Difficulty

7		5				4		1
		3				9		
9	2						6	7
			1		3			
				5				
			7		9			
8	5						1	2
		4				6		
1		2				3		8

Difficulty

*****

Advanced 47

		2	7					
	1			5			4	
					9			5
		8	6					9
	4			1			7	
5					2	3		
9			2					
	7			8			1	
					3	6		

Difficulty

Advanced 48

9								4
		1	2				5	
	3	4	5			6		
	6	7	8					
				6				
					9	8	7	
		9			6	5	4	
	8				3	2		
7								8

Difficulty

Advanced **49**

	9	2						
7			4		8		1	
4			2			5		
	3	9			6		4	
	7		1			2	8	
		8			5			4
	4		7		9			1
						3	5	

Difficulty

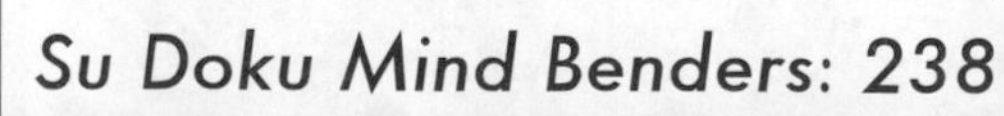

Advanced **50**

4				9				7
						6		
	5		8		1			2
		1		4		2		
3								9
		6		1		7		
9			1		5		6	
		2						
6				3				8

Difficulty

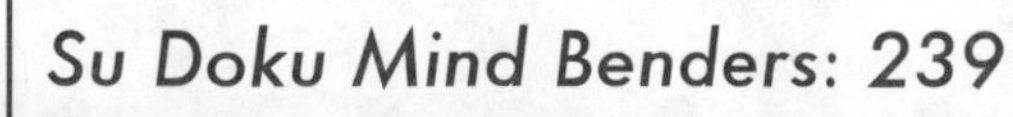

				3		5		1
	3		9					4
								7
			3			9		
	9			5			2	
		7			8			
1								
2					4		8	
7		5		1				

Difficulty

Advanced 52

	3	2						
		5		7				
4	8		6	1				
6		7						
		1	8		4	5		
						3		1
				5	7		6	3
				3		8		
						4	2	

Difficulty

*****

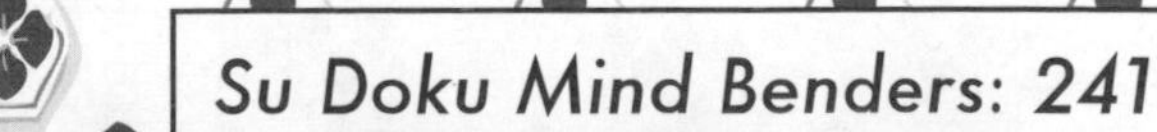

Advanced 53

		5				4		
	4		1		9		3	
1				2				6
	1			6			2	
		2	5		8	1		
	9			3			8	
2				5				9
	6		8		3		5	
		4				7		

Difficulty

Advanced **54**

			3	4			5	
		2			5			4
	1				6			
3						7		
4	5						8	9
		8						1
			7				2	
8			6			3		
	9			5	4			

Difficulty

*****

Advanced 55

			2		5	3		
		4	6		1			
8							7	
5	3						6	8
				9				
7	2						1	3
	6							4
			7		9	2		
		1	4		8			

Difficulty

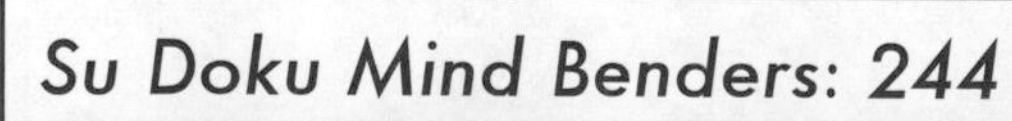

Advanced **56**

			7			5		
				2	9			
			1			8		2
2		8		4			1	
	3		2		6		4	
	9			7		2		5
8		3			7			
			9	1				
		9			4			

Difficulty

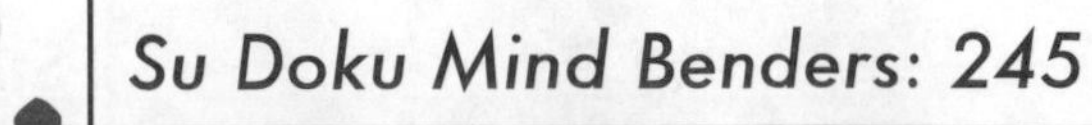

Advanced **57**

1			3			9	8	
	2				1			7
		3		2				6
	4				3			
		5				4		
			6				5	
3				7		6		
2			8				7	
	1	9			6			8

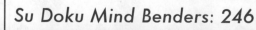

Difficulty

Advanced 58

					1	6		
		5			7			
	2	4	8					3
		1					4	5
6	8					2		
3					4	7	1	
			6			8		
		7	2					

Difficulty

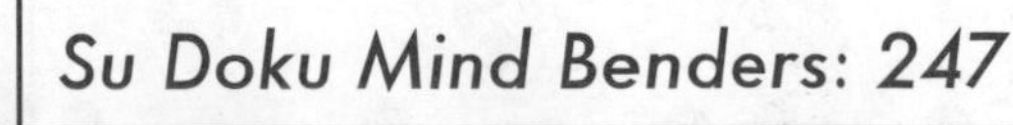

Advanced 59

7		4	2					
					3	1		
	6							8
	8		5					9
				1				
3					8		7	
2							4	
		9	7					
					5	3		1

Difficulty

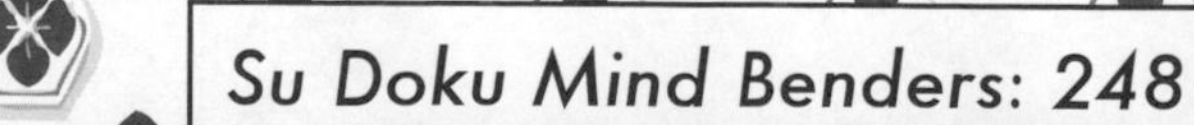

Advanced 60

				4				
	1	2				9	8	
	7		3		1		5	
		6				7		
8								6
		9				2		
	3		9		7		2	
	9	5				1	7	
				1				

Difficulty

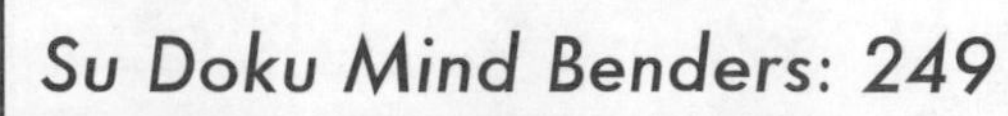

Advanced 61

	4		2			3		
					8			2
		1		4			9	
	5					2		
2			1		9			8
		4					5	
	9			6		8		
3			7					
		8			5		3	

Difficulty
*****

		5	6					
		4	3		7	5	8	
					6		7	
	8	6	5		3	9	4	
	1		4					
	6	3	9		5	4		
					8	7		

Difficulty

Advanced **63**

					7	6	5	
1			9	8				
2								
3							8	
	4		5		6		9	
	5							1
								2
				6	5			3
	9	8	7					

Difficulty
*****

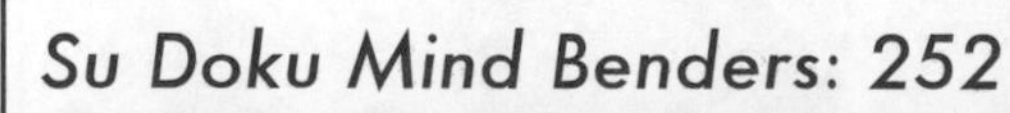

VARIATION

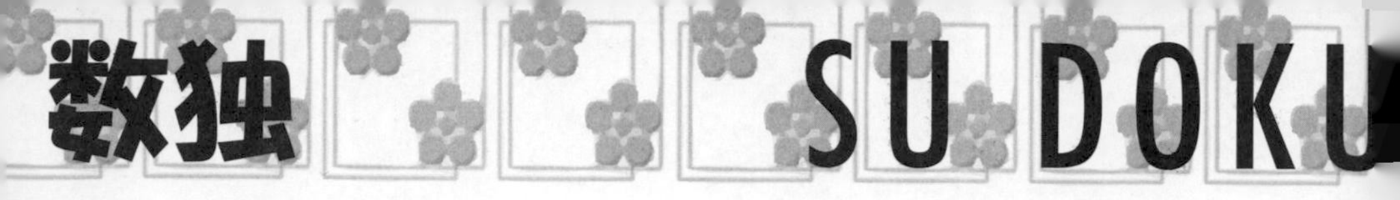

Silhouette Su Doku
Tree - Variation

1

				1				
			4		8			
		2				5		
	3						1	
5		6		8		7		4
			9		2			
		7				3		
	4						9	
6		3		5		8		1

Difficulty

*****

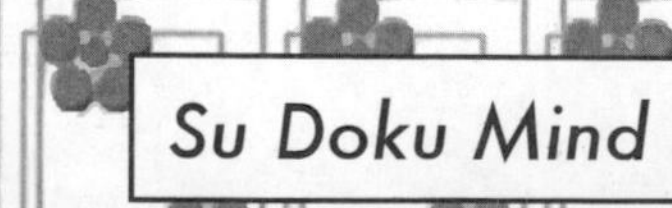
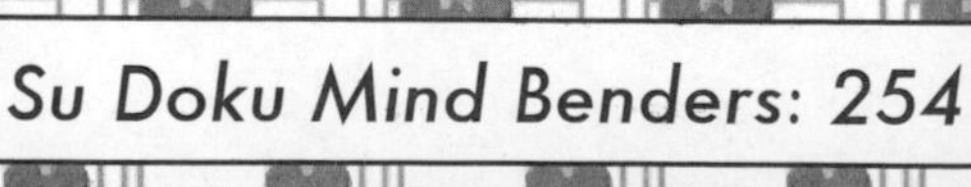

Silhouette Su Doku
Tadpoles - Variation

2

					8	6	7	
		9			2		3	
		2			9	5	8	
		3				9		
	4	7	6			2		
	6		8			4		
	5	4	3					

Difficulty

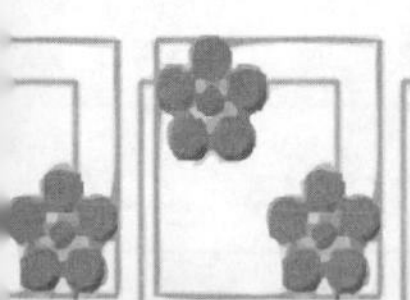
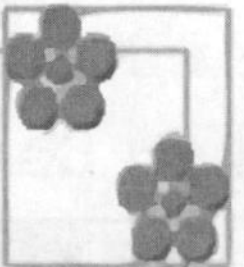

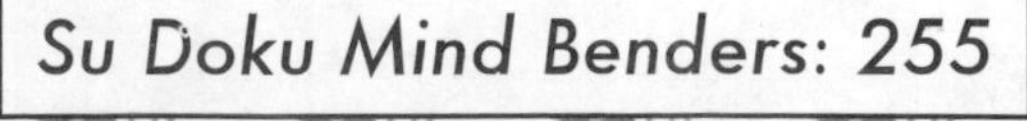

Silhouette Su Doku
Snail - Variation

3

			7	2	9	8		
		1					5	
	3							6
	1				5			7
		5			4			8
			9	6				3
3								5
	9						2	
		4	8	3	1	7		

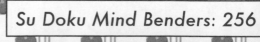

Difficulty

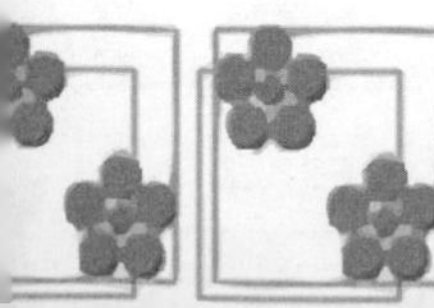
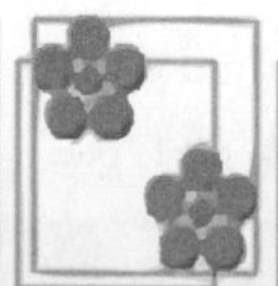
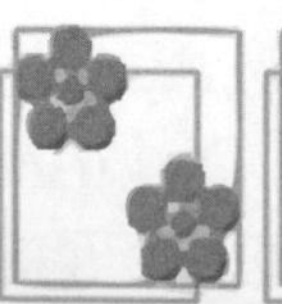

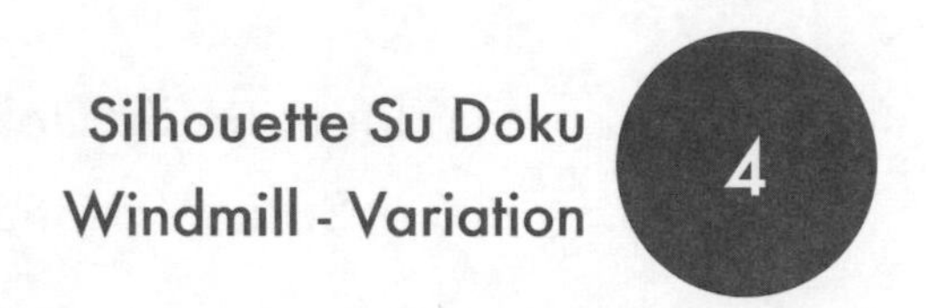

		3				4		
	7				1		8	
2				9				5
	1		8		7			
		5				6		
			2		3		9	
9				4				2
	4		5				7	
		1				3		

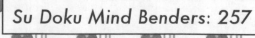

Difficulty

*****

3				9				1
				4				
			5		2			
9	8	2	4		3	5	7	6
	5			7			8	
		6				1		
		9		2		7		
	6	7	9		5	3	2	
	2						1	

Difficulty

*****

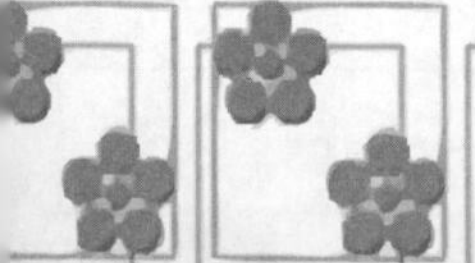
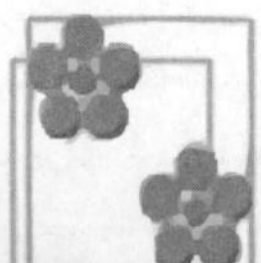
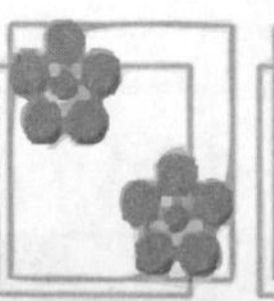
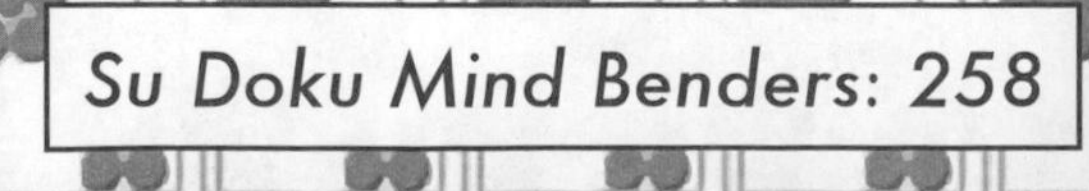

	4	7				2	6	
8			1		5			3
2				6				9
4			7		3			8
5								4
	6						1	
		1			5			
			2		4			
				3				

Difficulty

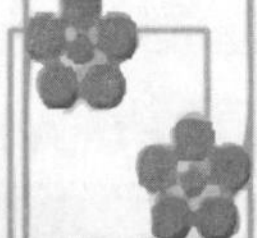

Combine Su Doku - Variation 7

5		6		9		1		7			
		9				4					
2	8						5	9			
			7		1				5		8
4					9				1		
			4	8						3	7
6	7						9	2			
		2				5					9
1		5				8		4			
			6	4						8	3
					5				7		
			8		3		2		6		1

Difficulty

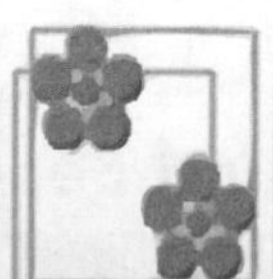

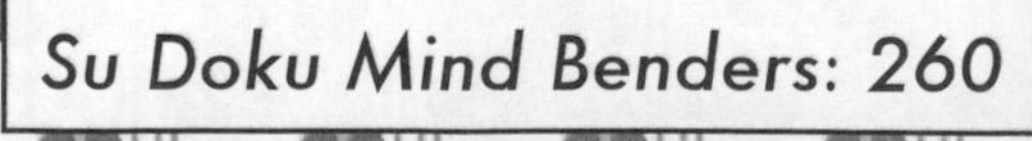

Combine Su Doku - Variation 8

4	9			5			6	7			
7								4			
			4		8						
		9		2						4	9
2			7		3						6
		5		4							
							8		9		
5						1		6			5
1	3						4		1		
						8		3			
			3								2
			6	7			2			5	1

Difficulty

*****

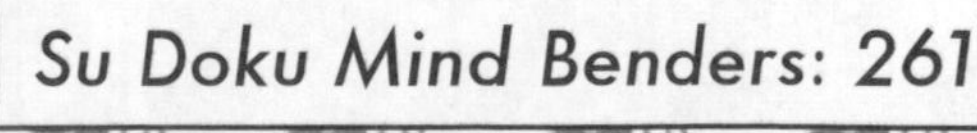

Combine Su Doku - Variation 9

Upper grid:

	1	5					2	
	6		2	1	3	5	8	
	4		8		9		6	
			3		5		1	
5			1	6	2	4	3	
6	3		7					
			9		4			
4	8	2						

Lower grid (its top-left 3×3 box is shared with the bottom-right box of the upper grid):

						8	1	7
			4		6			
					4		8	5
	1	4	2	8	7			3
	8		5		3			
	2		6		9		3	
	5	7	8	4	1		9	
	6					1	7	

Difficulty

*****

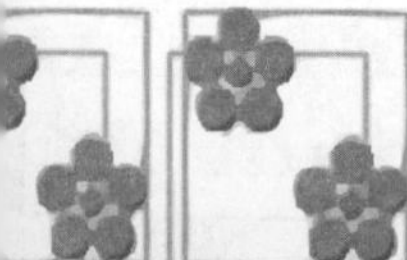
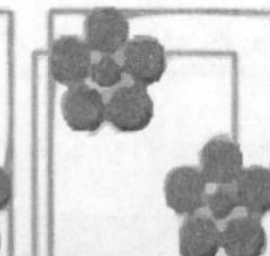

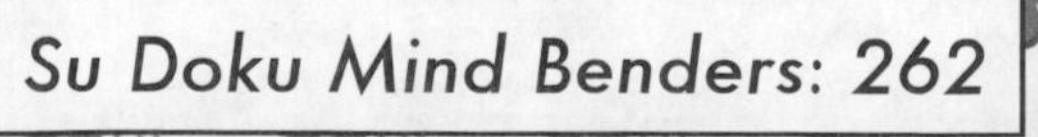

Combine Su Doku - Variation 10

	6	5		1	2		3	4			
		2			3			1			
	4	7		3	5		2	9			
		9			7			5			
				7					1		
	2	6		8	4	3	1		6	2	
		3					6				
			2			1			7		
			1	9		7	2		5	6	
			4			2			3		
			7	1		9	5		8	4	

Difficulty

*****

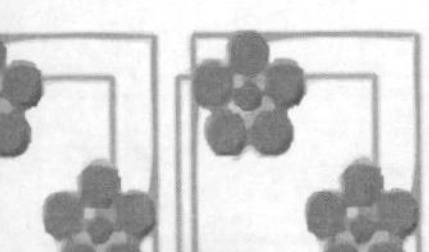

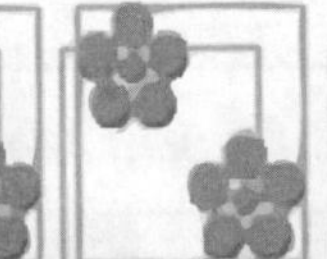
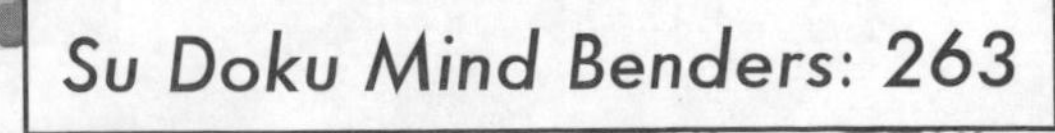

Combine Su Doku - Variation

11

9								1
	8			1			3	
		1				6		
			9		2			5
	3			7				
			4		3			2
		3				5		4
	1						6	
7			5		4	1		3

5		4				1		9
	6				1		7	
1		3		4		6		
			1		3			
				8				
			9		2			
8		7		1		2		
	5				6		4	
3		6				5		8

1			2		4	8		7
	3						5	
		9				3		6
			9		5			3
	5			4				
			8		7			2
		2				1		
	1			7			3	
6								4

Difficulty

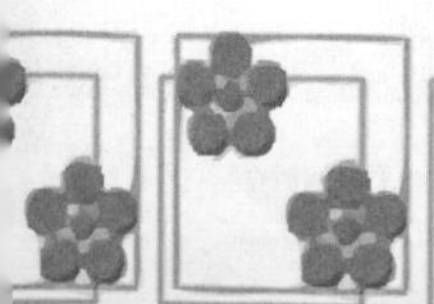

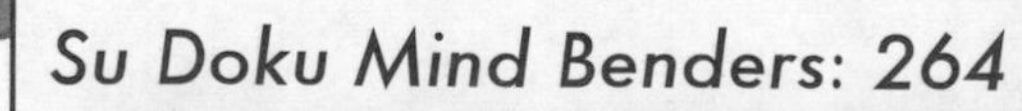

Combine Su Doku - Variation **12**

6					1			9			
	5			9			2				
		2	6								
		4				7		3			
	8			7			5				
5						2		8			
				2		3	8	6			7
	2		7		6					3	
1				8		4	7	2			
			5	7			9				6
						7		1			
			8	1			5				4
2				5		1	6	9			
	3		2		1					9	
				9		2	3	8			1
9						6		2			
	8			3			9				
		7				4		3			
		5	7								
	6			8			5				
1					5			6			

Difficulty

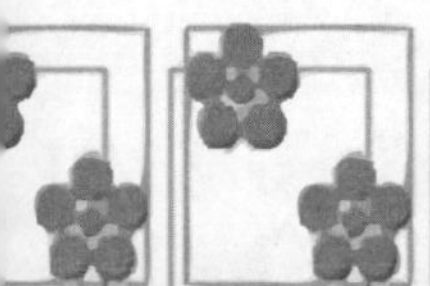

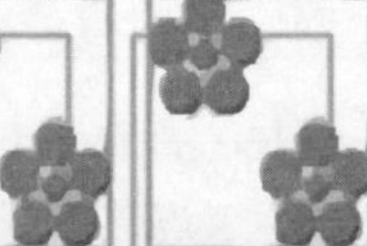
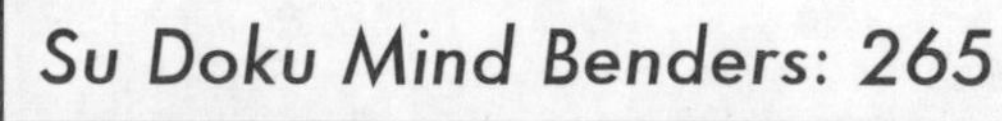

Combine Su Doku - Variation 13

							9						1							
						5				2				3						
									3		5									
								4				8								
							7						6							
						3			2	4	6			5						
	9				2										6				7	
3				1						3						5				2
			4						7		9						8			
		8			1			2				3			4			2		
	6				8		5						4		9				1	
		1			4			9				1			7			9		
			9						6		5						3			
4				8						8						6				5
	3				6										2				8	
						7			3	9	4			8						
							8						6							
								4				5								
									1		7									
						9				2				6						
							7						4							

Difficulty

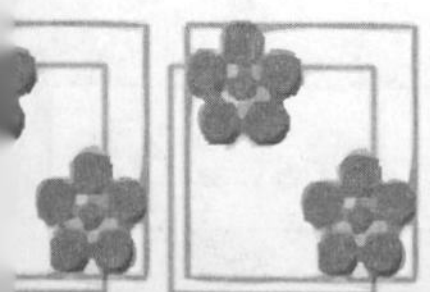

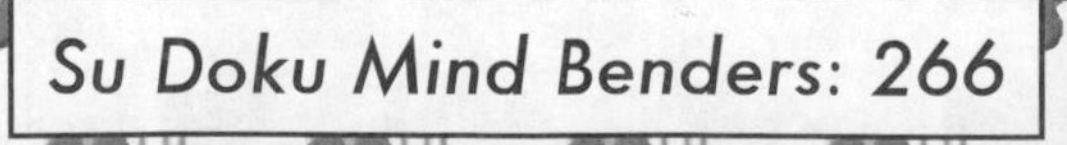

Combine Su Doku - Variation 14

		5				1	3	
					8	2		
2				9			4	
			6				2	1
		7						5
	2				4	3		
3	4				6			
1		2	4				6	
			1	2				

				9	7			
	6				5	1		2
			3				7	5
		9	1				2	
1						3		
4	3				2			
	4			8				6
		1	2					
	5	8				2		

Difficulty

*****

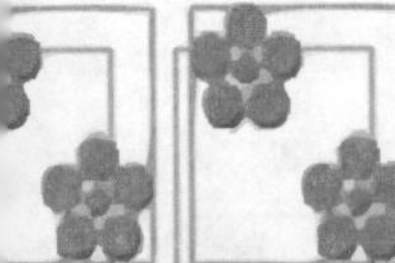

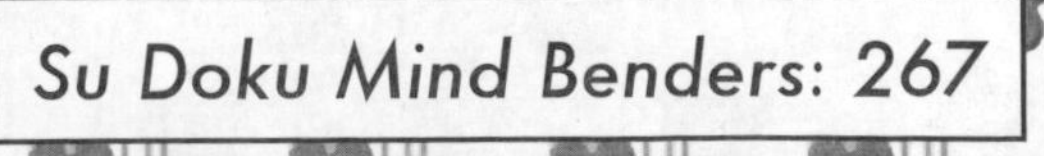

Combine Su Doku - Variation 15

9	1			6	5		2	4						
2	6			4	8			7						
		4				6								
			5											
1	2			9	7									
6	5			1	4			3						
		1							2	4	9			
5	7			8	9					8		7	9	
8	3			7	6							8	6	
							5	7		6	3			
											7			3
							4	3		1	5			
3	8			7	9							3	8	
7	1			2	5					9		2	5	
		5							3	5	2			
2	9			6	7			3						
4	7			3	8									
			9											
		2				6								
8	3			5	6			9						
5	6			9	3		4	7						

Difficulty

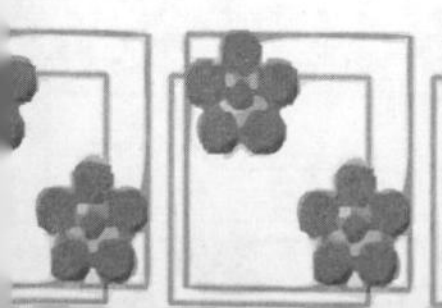

Combine Su Doku - Variation 16

2			1	9		6	3							
		1			7			2						
	4				5			1						
4						7	2							
6														
1			7	6										
	1	3			9				4	9	5			
		7			2							5		
			8	3			7						4	
							2	6			3			7
						4			2	5		6		8
							5	1			8			4
			3	8			1						6	
		1			9							3		
	9	6			4				6	1	4			
8			9	4										
5														
1						3	2							
	5				7			6						
		3			2			4						
2			8	6		9	5							

Difficulty

*****

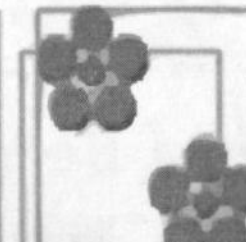

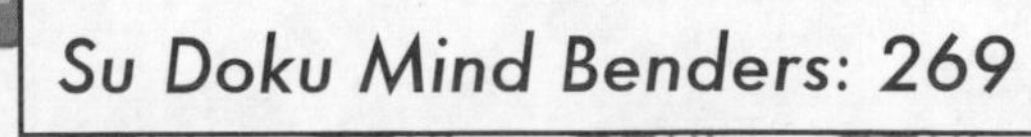

Combine Su Doku - Variation 17

		6	4		5	7		
2	6						5	4
9		7				5		1
	7		8		3		2	
	3		5		4		9	
6		1				4		5
8	1						6	7
		5	3		9	8		

Difficulty
*****

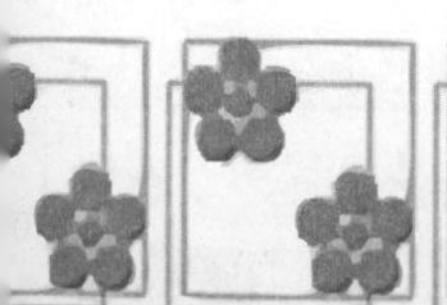

Combine Su Doku - Variation 18

		6	9	3				7
	5	8					2	
8	7		5			6		
9		7	8					
2				1				5
					6	7		4
		4			1		7	6
	9					2	8	
6				9	4	1		

Difficulty

Jigsaw Su Doku - Variation 19

		2	5		6	8		
				3				
4				2				1
2				8				9
	1	8	9		5	2	3	
6				1				7
8				7				6
				5				
		7	8		3	4		

Difficulty
*****

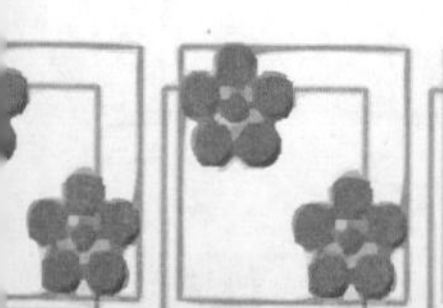

Jigsaw Su Doku - Variation 20

	5		3		8		7	
8								9
		1		2		4		
9			8		5			1
		4				3		
7			6		9			4
		8		1		9		
3								7
	8		7		3		4	

Difficulty
*****

Jigsaw Su Doku - Variation **21**

8			3		6			4
		9				7		
	1			4			7	
3			7		9			6
		7				9		
4			8		5			7
	5			6			8	
		4				6		
1			5		2			9

Difficulty

*****

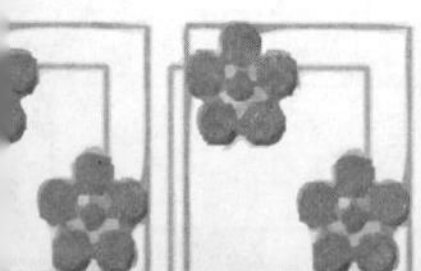

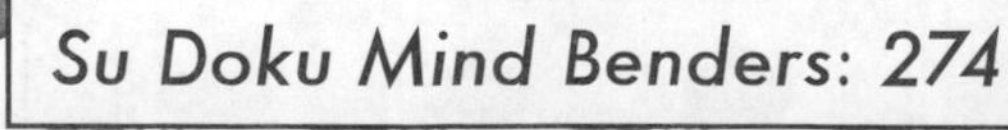

Jigsaw Su Doku - Variation 22

8								2
	9		7		8		4	
				7				
	5		4		7		6	
		3				1		
	2		6		9		5	
				9				
	1		8		2		3	
3								4

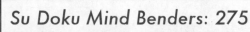

Difficulty

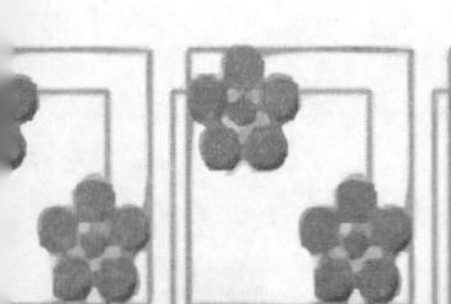

Jigsaw Su Doku - Variation 23

8			6		3			7
			2	7	1			
5		6	9		7	3		4
		8				7		
3		4	5		8	9		2
			1	8	4			
4			7		2			6

Difficulty

*****

Jigsaw Su Doku - Variation 24

6	8						2	3
9			2		5			1
				9				
	2		4		9		3	
		1				7		
	7		5		8		6	
				5				
1			7		3			6
7	1						8	5

Difficulty

*****

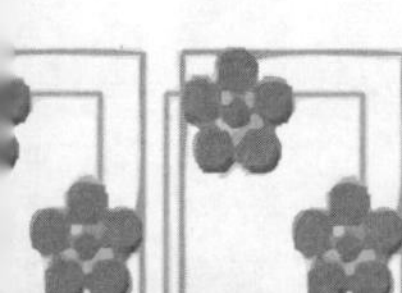

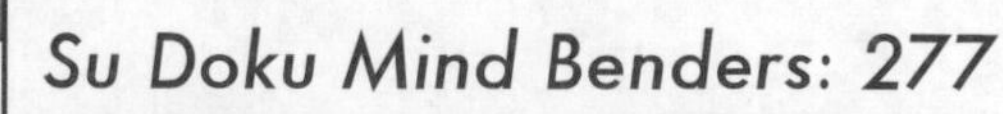

Jigsaw Su Doku - Variation 25

1					7		9	
	2			3		4		5
		3					6	
			4					8
	1			5			3	
2					6			
	8					7		
9		1		7			8	
	7		3					9

Difficulty

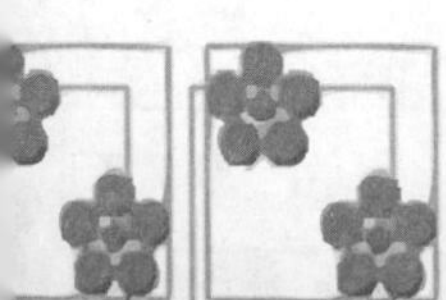

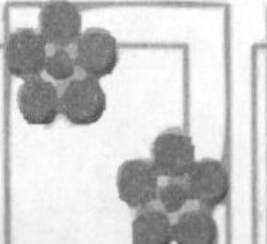

Jigsaw Su Doku - Variation 26

		4				8		
	6		7		3		9	
9				2				7
	5						3	
		1				7		
	3						5	
5				6				9
	7		3		9		4	
		8				2		

Difficulty

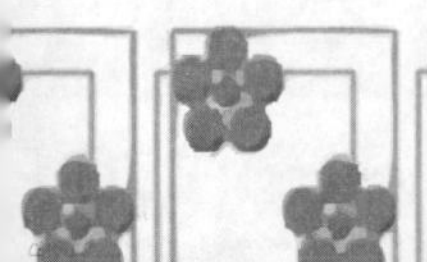

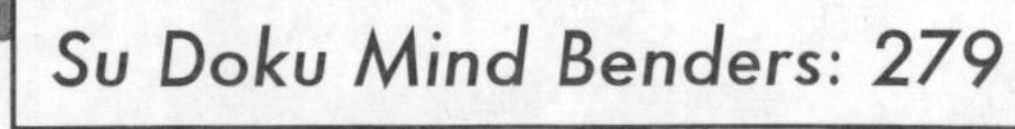

Jigsaw Su Doku - Variation 27

	9	2			5			
7			6			9		
	1	4					2	
					7			1
		6		5		1		
2			9					
	8					4	7	
		7			9			8
			8			5	3	

Difficulty

*****

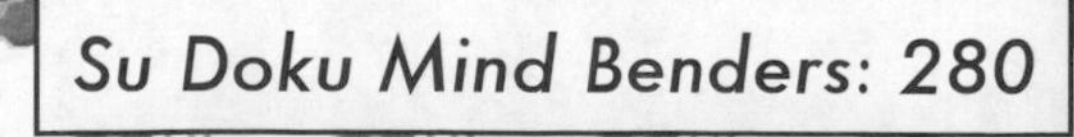

Jigsaw Su Doku - Variation 28

				2				
				9				
	3						4	
	9						7	
			4		5			
8			6		1			4
2								9
		7		4		1		
		8		1		9		

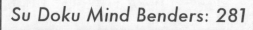

Difficulty

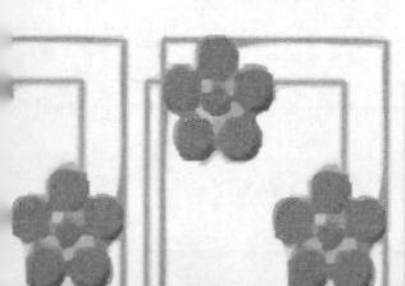

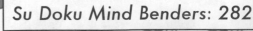

Diagonal Su Doku - Variation 29

	5						9	1
3	2		8					5
			5		9	3		
	7	3				4		
				5				
		5				9	6	
		7	4		2			
4					7		8	3
9	1						7	

Difficulty

Diagonal Su Doku - Variation 30

2				7				8
		3				1		
	8		9		5		4	
4				2				6
	7			1			3	
6				3				5
	9		4		2		7	
		1				5		
3				8				9

Difficulty

*****

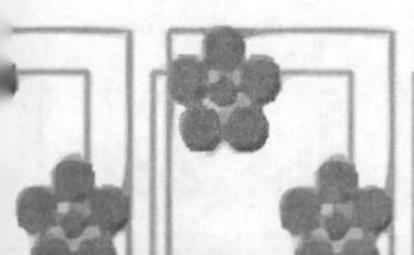

Diagonal Su Doku - Variation

31

	3	6						
			5	1				
1	2				3	8		
		3	4				5	2
4	9				6	7		
		5	1				8	9
				7	8			
						3	4	

Difficulty

*****

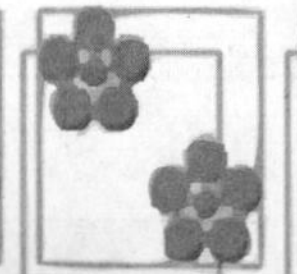
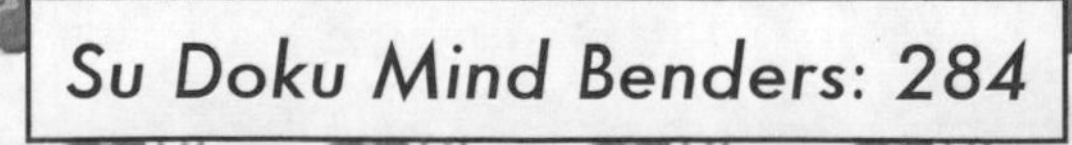

Multiple Su Doku - Variation 32

		14	15	7	8					4	5	3	12		
	8					16			6					10	
4				14	5	9	13	11	12	3	7				15
7				6	15					2	16				1
14		15	7	3			8	12			11	6	4		2
10		13	6			5			3			15	1		11
	11	1			10	14			8	16			9	7	
		8		12			11	15			4		16		
		2		5			9	4			15		8		
	4	5			3	10			11	12			15	6	
6		12	3			2			16			7	10		5
8		7	1	13			4	10			3	16	2		12
1				10	11					7	12				8
16				2	12	13	5	3	4	1	9				6
	3					8			2					1	
		11	2	4	1					8	13	9	3		

Difficulty

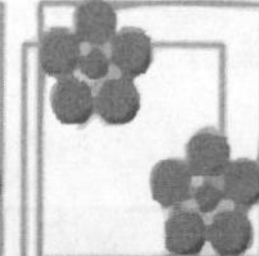

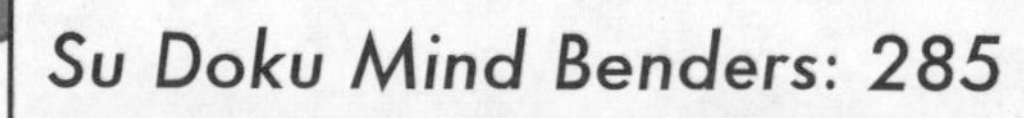

Multiple Su Doku - Variation **33**

10					7	13	11	12							14
	14	5	12	4			15				9	3	8	13	
	7	13			3					15			5	11	
	3		8			14			7			6		9	
	4			5		7			14		8			3	
		9				11			5				16		10
			6	15	10		14	2		4	16	7			5
11						9	4	13	12					6	15
9	1					2	12	5	15						3
8			3	13	6		16	11		10	7	15			
14		15				5			2				13		
	16			10		4			8		13			2	
	2		15			8			10			13		14	
	11	12			14					7			3	10	
	5	14	9	7				8			3	2	15	16	
13							3	14	9	2					4

Difficulty

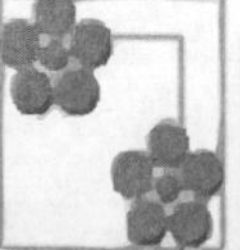

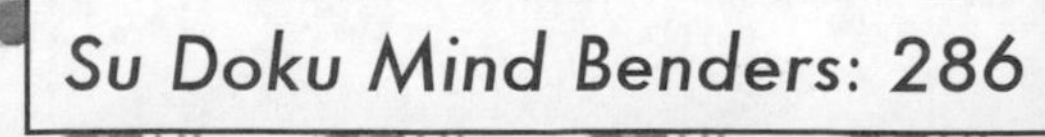

Multiple Su Doku - Variation 34

			1			2	3		4	6		5	12		
2		3	4		1		5	8	7		9		13		6
5		6	8				4		2		1		3		
7		10	9		6		8		5		3		1		11
1		4	2		3		6		8	7		11	14		
3	5	8	6	1	12	9	13	4	10	14	11	2	16		7
13		16													
	7		12		15		11		6		16		5		13
16		12		2		1		6		10		3		13	
													2		10
4		13	10	14	11	8	15	16	12	3	2	1	7	6	5
		2	7		10			14		5		16	8		4
10		7		6		11		13		4		15	9		3
		1		5		12		11	3			14	10		2
12		9		7		15	10	5		2		13	11		1
		5	13		16	14		7	1			12			

Difficulty

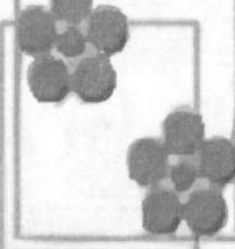
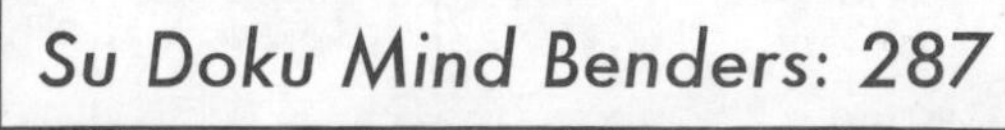

Multiple Su Doku - Variation 35

1	3	4	5	6			12			11	10	13			
2				7			15		14		4			8	
				8					3	1				6	
			9						7			1	3		4
		10								2		11		9	8
						11		15			1		7		
						12		16				5		3	
5	6					13		4		7			1		2
10					14			5	6					4	
	11	9	8										2		
4		3		10		5	2								
6	5		7	4	3		1				8		10		
3		2		13		10					9		11		12
	10	11			8	7	6		4						13
9				2				6						14	
	7		6	5	4		3	2	1			16	15		

Difficulty

✱✱✱✱✱

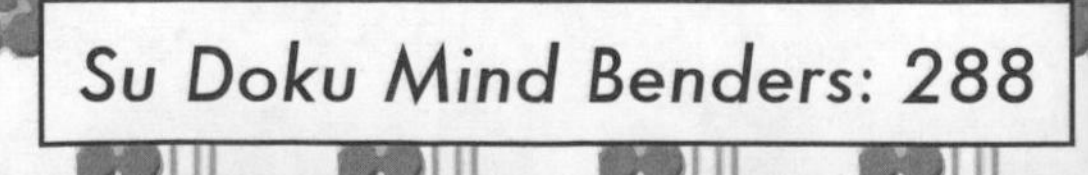

数独 SU DOKU

Multiple Su Doku - Variation 38

6					15		4	1		9					13
		12	11	13		7			8		4	15	3		
	15			16		12			6		2			14	
	7				14		6	3		15				1	
7	11				8	9			12	3				2	10
			5			6	16	9	4			7			
	4		16	15	12					1	14	13		8	
12			14	4			2	8			15				16
11		9			16		15	10		6			13		8
		7		10		14			2		1		12		
	10				9		5	12		13				4	
14	16		8	11		2			9		5	10		3	1
		16			7		9	4		14			2		
15		4	9	12		16			7		8	3	11		5
	2			3		13			1		9		4	7	
10		8			1		11	2		12			16		6

Difficulty

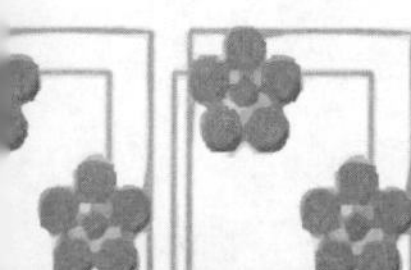
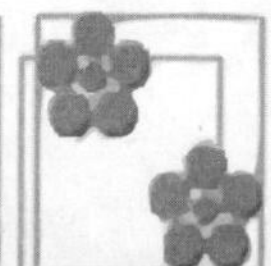

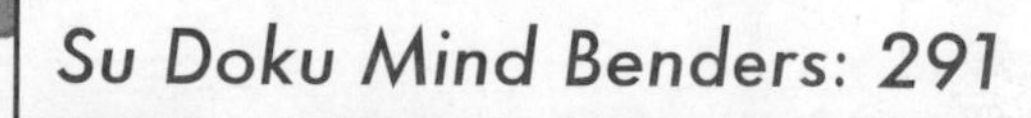

ANSWERS

6	1	9	8	5	2	4	7	3
4	2	5	7	2	6	1	8	9
8	7	3	1	9	4	5	6	2
2	6	4	5	1	3	7	9	8
1	3	8	9	4	7	6	2	5
5	9	7	6	2	8	3	4	1
9	4	1	2	7	5	8	3	6
3	5	6	4	8	9	2	1	7
7	8	2	3	6	1	9	5	4

Beginner 1

8	5	7	3	2	9	4	6	1
3	6	9	1	4	5	2	8	7
4	1	2	8	6	7	9	5	3
6	9	3	5	1	2	7	4	8
7	4	1	9	8	6	3	2	5
2	8	5	7	3	4	6	1	9
5	7	4	2	9	1	8	3	6
9	3	6	4	5	8	1	7	2
1	2	8	6	7	3	5	9	4

Beginner 2

4	7	1	3	5	6	2	8	9
9	2	3	7	8	4	1	5	6
8	5	6	1	2	9	7	3	4
7	4	9	5	3	1	6	2	8
3	6	8	2	9	7	5	4	1
2	1	5	6	4	8	3	9	7
5	9	7	8	1	2	4	6	3
1	3	4	9	6	5	8	7	2
6	8	2	4	7	3	9	1	5

Beginner 3

6	2	8	9	7	1	4	5	3
7	4	1	8	5	3	6	2	9
3	9	5	4	2	6	7	8	1
9	3	2	7	6	8	1	4	5
8	1	4	5	3	9	2	7	6
5	6	7	2	1	4	9	3	8
1	7	3	6	4	5	8	9	2
4	5	9	1	8	2	3	6	7
2	8	6	3	9	7	5	1	4

Beginner 4

6	8	2	3	1	9	5	7	4
5	7	3	4	8	6	9	2	1
9	1	4	7	2	5	3	6	8
7	5	8	6	4	2	1	9	3
3	6	9	8	5	1	7	4	2
4	2	1	9	3	7	6	8	5
8	9	5	1	6	4	2	3	7
2	4	7	5	9	3	8	1	6
1	3	6	2	7	8	4	5	9

Beginner 5

9	3	7	2	5	1	6	4	8
5	4	8	7	9	6	3	2	1
2	6	1	3	4	8	5	7	9
3	1	6	4	2	9	7	8	5
8	2	9	1	7	5	4	6	3
4	7	5	6	8	3	1	9	2
1	8	4	9	3	7	2	5	6
6	5	2	8	1	4	9	3	7
7	9	3	5	6	2	8	1	4

Beginner 6

3	9	5	2	6	8	7	4	1
7	6	2	4	9	1	5	3	8
1	8	4	3	7	5	2	6	9
4	7	8	5	1	6	9	2	3
2	3	9	7	8	4	1	5	6
5	1	6	9	2	3	4	8	7
6	4	1	8	5	9	3	7	2
8	2	3	1	4	7	6	9	5
9	5	7	6	3	2	8	1	4

Beginner 7

8	5	2	1	4	7	9	3	6
6	7	9	8	5	3	4	1	2
1	3	4	9	6	2	8	5	7
7	9	6	2	1	5	3	4	8
2	8	1	6	3	4	7	9	5
5	4	3	7	9	8	2	6	1
3	6	8	4	7	1	5	2	9
4	1	7	5	2	9	6	8	3
9	2	5	3	8	6	1	7	4

Beginner 8

9	4	2	8	6	3	1	5	7
7	1	8	9	4	5	6	3	2
6	3	5	2	1	7	4	9	8
5	8	7	1	2	4	3	6	9
4	6	1	3	8	9	2	7	5
3	2	9	5	7	6	8	4	1
1	7	3	6	9	2	5	8	4
2	9	6	4	5	8	7	1	3
8	5	4	7	3	1	9	2	6

Beginner 9

8	4	2	5	3	9	7	6	1
1	6	3	8	4	7	5	9	2
7	9	5	2	6	1	4	3	8
9	2	6	7	1	3	8	5	4
5	3	1	9	8	4	2	7	6
4	8	7	6	2	5	9	1	3
2	1	9	3	7	8	6	4	5
3	7	8	4	5	6	1	2	9
6	5	4	1	9	2	3	8	7

Beginner 10

5	9	8	4	7	1	3	6	2
3	2	7	6	8	9	1	4	5
6	1	4	5	2	3	8	9	7
9	7	5	8	3	4	2	1	6
1	8	3	2	6	7	4	5	9
4	6	2	9	1	5	7	3	8
8	3	9	1	5	2	6	7	4
7	5	6	3	4	8	9	2	1
2	4	1	7	9	6	5	8	3

Beginner 11

2	6	4	5	7	9	1	8	3
1	9	3	2	8	4	7	6	5
7	8	5	3	6	1	9	2	4
8	3	7	1	9	2	4	5	6
4	5	1	7	3	6	2	9	8
6	2	9	4	5	8	3	1	7
9	1	8	6	4	3	5	7	2
3	7	2	8	1	5	6	4	9
5	4	6	9	2	7	8	3	1

Beginner 12

3	7	2	4	9	8	5	6	1
4	5	6	3	2	1	8	7	9
9	1	8	6	7	5	2	4	3
8	9	1	7	5	4	3	2	6
2	6	5	8	1	3	4	9	7
7	3	4	9	6	2	1	8	5
5	4	7	2	3	9	6	1	8
1	2	9	5	8	6	7	3	4
6	8	3	1	4	7	9	5	2

Beginner 13

8	4	9	1	5	2	7	3	6
7	5	6	8	3	4	9	1	2
3	2	1	7	6	9	5	8	4
1	8	7	6	2	5	4	9	3
2	3	4	9	8	7	1	6	5
9	6	5	3	4	1	2	7	8
6	7	2	5	1	8	3	4	9
4	9	8	2	7	3	6	5	1
5	1	3	4	9	6	8	2	7

Beginner 14

3	2	1	9	7	6	8	4	5
7	6	9	4	5	8	1	3	2
5	8	4	1	2	3	6	7	9
2	1	5	7	3	9	4	6	8
9	4	8	6	1	2	7	5	3
6	7	3	8	4	5	2	9	1
8	9	2	3	6	4	5	1	7
1	5	6	2	9	7	3	8	4
4	3	7	5	8	1	9	2	6

Beginner 15

1	4	3	5	2	9	8	6	7
2	5	8	4	7	6	9	1	3
6	7	9	3	1	8	5	2	4
9	3	1	2	5	4	7	8	6
4	8	2	7	6	3	1	9	5
5	6	7	9	8	1	3	4	2
3	1	4	6	9	5	2	7	8
8	2	6	1	3	7	4	5	9
7	9	5	8	4	2	6	3	1

Beginner 16

4	7	9	3	6	5	1	8	2
1	6	2	4	8	9	7	3	5
3	8	5	2	7	1	6	4	9
6	5	3	8	9	2	4	7	1
9	1	7	5	3	4	8	2	6
2	4	8	7	1	6	9	5	3
7	3	6	9	2	8	5	1	4
5	2	1	6	4	7	3	9	8
8	9	4	1	5	3	2	6	7

Beginner 17

6	7	1	5	2	9	3	8	4
4	8	2	1	7	3	9	5	6
5	9	3	6	4	8	1	2	7
8	4	9	3	6	2	5	7	1
3	5	7	9	8	1	6	4	2
1	2	6	7	5	4	8	9	3
9	3	5	2	1	7	4	6	8
2	1	8	4	9	6	7	3	5
7	6	4	8	3	5	2	1	9

Beginner 18

2	7	6	1	3	9	4	8	5
4	5	9	2	7	8	6	1	3
1	3	8	4	6	5	2	7	9
8	1	7	5	2	3	9	6	4
5	6	3	9	8	4	1	2	7
9	4	2	7	1	6	3	5	8
7	8	1	3	9	2	5	4	6
3	2	4	6	5	7	8	9	1
6	9	5	8	4	1	7	3	2

Beginner 19

8	1	5	6	3	2	4	9	7
9	3	4	7	8	5	6	1	2
2	7	6	1	9	4	8	5	3
7	9	3	8	2	6	5	4	1
5	4	1	3	7	9	2	6	8
6	8	2	5	4	1	3	7	9
4	2	8	9	6	7	1	3	5
3	5	7	4	1	8	9	2	6
1	6	9	2	5	3	7	8	4

Beginner 20

3	5	9	6	2	4	1	8	7
2	6	1	3	7	8	9	5	4
4	8	7	9	1	5	3	2	6
1	9	5	4	6	3	2	7	8
6	7	3	8	5	2	4	1	9
8	2	4	7	9	1	6	3	5
5	4	8	1	3	6	7	9	2
7	1	2	5	4	9	8	6	3
9	3	6	2	8	7	5	4	1

Beginner 21

1	2	8	6	3	5	4	9	7
4	9	6	7	1	8	2	5	3
5	7	3	4	2	9	1	8	6
9	1	7	3	4	2	5	6	8
6	3	4	5	8	7	9	2	1
2	8	5	9	6	1	3	7	4
3	4	2	8	9	6	7	1	5
8	5	9	1	7	3	6	4	2
7	6	1	2	5	4	8	3	9

Beginner 22

9	7	4	8	6	1	2	5	3
2	1	5	3	7	4	6	8	9
3	6	8	9	2	5	4	1	7
4	3	2	7	5	6	8	9	1
7	5	9	1	8	2	3	4	6
6	8	1	4	3	9	7	2	5
8	2	7	5	1	3	9	6	4
5	4	3	6	9	8	1	7	2
1	9	6	2	4	7	5	3	8

Beginner 23

5	1	9	7	2	6	8	4	3
8	4	3	5	9	1	7	2	6
6	2	7	3	8	4	5	1	9
4	8	1	9	6	5	2	3	7
9	3	2	1	7	8	4	6	5
7	6	5	2	4	3	1	9	8
1	9	6	4	5	7	3	8	2
2	5	4	8	3	9	6	7	1
3	7	8	6	1	2	9	5	4

Beginner 24

1	3	8	4	7	2	5	6	9
7	4	9	8	5	6	2	3	1
2	6	5	1	3	9	7	4	8
6	5	4	7	9	8	3	1	2
3	7	1	6	2	4	9	8	5
8	9	2	3	1	5	4	7	6
9	1	6	5	4	7	8	2	3
5	8	7	2	6	3	1	9	4
4	2	3	9	8	1	6	5	7

Beginner 25

1	2	3	4	6	8	7	5	9
7	9	4	5	3	2	1	8	6
8	5	6	1	9	7	3	2	4
6	7	5	8	4	1	9	3	2
2	3	9	6	7	5	8	4	1
4	8	1	9	2	3	5	6	7
3	1	2	7	8	4	6	9	5
5	6	8	2	1	9	4	7	3
9	4	7	3	5	6	2	1	8

Beginner 26

5	6	4	9	1	3	7	2	8
7	8	9	2	5	4	1	6	3
3	2	1	7	8	6	5	4	9
2	7	8	3	4	1	9	5	6
1	4	3	6	9	5	8	7	2
6	9	5	8	7	2	3	1	4
9	1	2	4	3	7	6	8	5
4	3	7	5	6	8	2	9	1
8	5	6	1	2	9	4	3	7

Beginner 27

1	4	5	7	6	9	2	8	3
9	8	6	2	1	3	7	5	4
2	3	7	5	8	4	9	6	1
3	6	4	8	7	5	1	2	9
7	9	1	6	4	2	8	3	5
8	5	2	9	3	1	4	7	6
6	2	3	1	9	8	5	4	7
5	7	9	4	2	6	3	1	8
4	1	8	3	5	7	6	9	2

Beginner 28

9	8	5	7	4	6	1	3	2
1	6	7	2	5	3	9	4	8
3	2	4	1	8	9	6	5	7
7	5	2	8	3	1	4	9	6
4	1	8	6	9	2	5	7	3
6	9	3	5	7	4	8	2	1
2	3	1	4	6	5	7	8	9
5	7	9	3	1	8	2	6	4
8	4	6	9	2	7	3	1	5

Beginner 29

2	9	7	6	3	1	5	8	4
8	1	6	2	5	4	3	7	9
3	5	4	9	8	7	6	1	2
7	2	5	1	9	3	8	4	6
1	6	9	4	2	8	7	5	3
4	8	3	7	6	5	2	9	1
9	3	1	8	7	6	4	2	5
6	4	8	5	1	2	9	3	7
5	7	2	3	4	9	1	6	8

Beginner 30

5	9	4	2	3	1	8	7	6
1	7	3	9	6	8	5	2	4
6	2	8	5	7	4	1	3	9
3	5	6	1	9	7	4	8	2
4	1	2	6	8	5	7	9	3
9	8	7	4	2	3	6	5	1
2	6	5	7	1	9	3	4	8
8	4	9	3	5	6	2	1	7
7	3	1	8	4	2	9	6	5

Beginner 31

7	5	6	4	3	8	1	9	2
4	3	9	7	2	1	8	5	6
1	2	8	6	5	9	3	7	4
3	4	7	2	8	6	5	1	9
5	8	1	9	7	4	2	6	3
6	9	2	5	1	3	4	8	7
8	1	4	3	6	7	9	2	5
9	6	5	1	4	2	7	3	8
2	7	3	8	9	5	6	4	1

Beginner 32

8	5	9	2	6	1	3	7	4
1	6	2	4	7	3	9	5	8
4	7	3	9	5	8	6	2	1
9	3	6	8	4	2	7	1	5
2	4	7	1	3	5	8	9	6
5	1	8	6	9	7	2	4	3
6	8	4	5	2	9	1	3	7
3	2	5	7	1	6	4	8	9
7	9	1	3	8	4	5	6	2

Beginner 33

7	9	1	2	3	4	5	8	6
2	6	4	8	5	9	3	7	1
3	8	5	1	7	6	4	9	2
4	3	7	5	2	1	9	6	8
6	5	8	3	9	7	1	2	4
9	1	2	6	4	8	7	3	5
5	2	6	9	1	3	8	4	7
1	7	9	4	8	2	6	5	3
8	4	3	7	6	5	2	1	9

Beginner 34

5	1	4	7	9	6	2	8	3
7	9	6	2	3	8	1	5	4
8	2	3	1	4	5	7	6	9
1	6	2	4	7	3	8	9	5
3	4	5	9	8	1	6	7	2
9	7	8	6	5	2	4	3	1
4	8	7	5	1	9	3	2	6
2	5	1	3	6	7	9	4	8
6	3	9	8	2	4	5	1	7

Beginner 35

4	1	8	6	2	3	5	9	7
9	6	3	4	5	7	2	8	1
2	5	7	1	9	8	6	4	3
1	8	4	5	6	2	7	3	9
7	2	6	3	8	9	1	5	4
3	9	5	7	1	4	8	2	6
8	3	1	2	4	6	9	7	5
6	7	9	8	3	5	4	1	2
5	4	2	9	7	1	3	6	8

Beginner 36

2	5	7	9	6	8	3	4	1
1	4	8	3	7	2	9	5	6
9	3	6	5	1	4	2	8	7
4	7	9	6	5	1	8	3	2
6	8	1	2	4	3	7	9	5
3	2	5	8	9	7	6	1	4
7	6	4	1	8	9	5	2	3
8	1	3	7	2	5	4	6	9
5	9	2	4	3	6	1	7	8

Beginner 37

8	4	9	7	2	1	5	3	6
1	2	3	9	6	5	7	4	8
7	5	6	3	8	4	9	1	2
6	1	7	4	9	2	3	8	5
2	3	8	6	5	7	1	9	4
4	9	5	1	3	8	2	6	7
3	7	1	2	4	6	8	5	9
5	6	2	8	1	9	4	7	3
9	8	4	5	7	3	6	2	1

Beginner 38

1	3	4	5	6	7	2	9	8
5	2	6	8	9	1	7	3	4
7	9	8	3	4	2	1	6	5
2	8	1	4	3	6	9	5	7
9	7	3	1	2	5	8	4	6
4	6	5	7	8	9	3	2	1
8	4	2	6	7	3	5	1	9
6	1	9	2	5	8	4	7	3
3	5	7	9	1	4	6	8	2

Beginner 39

7	5	9	1	2	3	4	6	8
3	1	4	6	8	7	5	9	2
2	8	6	9	5	4	7	3	1
4	6	5	8	3	9	1	2	7
8	2	7	5	1	6	3	4	9
9	3	1	4	7	2	8	5	6
1	7	2	3	6	5	9	8	4
5	9	8	2	4	1	6	7	3
6	4	3	7	9	8	2	1	5

Beginner 40

3	9	7	6	1	2	8	5	4
4	1	6	8	5	9	3	7	2
5	2	8	7	3	4	6	1	9
7	6	1	9	2	8	4	3	5
8	4	2	5	7	3	9	6	1
9	5	3	4	6	1	2	8	7
6	7	9	3	4	5	1	2	8
1	8	5	2	9	6	7	4	3
2	3	4	1	8	7	5	9	6

Beginner 41

1	2	9	8	6	3	4	5	7
6	4	3	5	1	7	2	8	9
8	7	5	4	2	9	3	1	6
4	9	7	2	8	1	6	3	5
5	3	8	6	7	4	1	9	2
2	1	6	9	3	5	7	4	8
3	8	1	7	5	2	9	6	4
9	6	2	1	4	8	5	7	3
7	5	4	3	9	6	8	2	1

Beginner 42

7	8	1	2	9	3	4	6	5
9	3	4	5	6	8	7	1	2
6	5	2	4	7	1	9	8	3
2	7	8	6	5	4	1	3	9
4	6	5	3	1	9	2	7	8
1	9	3	8	2	7	6	5	4
3	2	9	1	8	6	5	4	7
5	4	6	7	3	2	8	9	1
8	1	7	9	4	5	3	2	6

Beginner 43

8	2	1	3	9	7	6	5	4
3	7	6	1	4	5	9	2	8
4	5	9	2	8	6	3	7	1
5	1	4	9	3	2	7	8	6
9	6	7	8	5	1	4	3	2
2	8	3	6	7	4	1	9	5
6	9	2	5	1	3	8	4	7
1	4	8	7	2	9	5	6	3
7	3	5	4	6	8	2	1	9

Beginner 44

7	9	5	3	2	1	8	4	6
2	6	4	7	9	8	5	1	3
3	8	1	5	6	4	2	7	9
9	5	2	4	1	7	3	6	8
1	7	6	9	8	3	4	2	5
4	3	8	2	5	6	1	9	7
8	2	7	1	3	9	6	5	4
6	1	9	8	4	5	7	3	2
5	4	3	6	7	2	9	8	1

Beginner 45

1	2	3	5	6	7	8	9	4
9	7	8	4	1	2	6	3	5
4	5	6	9	8	3	1	7	2
5	6	1	2	9	8	7	4	3
7	8	9	3	4	5	2	1	6
3	4	2	6	7	1	9	5	8
8	3	4	1	2	9	5	6	7
2	1	5	7	3	6	4	8	9
6	9	7	8	5	4	3	2	1

Beginner 46

4	8	7	3	1	9	5	2	6
6	9	1	7	5	2	4	8	3
5	3	2	8	4	6	7	9	1
3	4	5	9	6	8	2	1	7
9	2	6	1	7	5	3	4	8
1	7	8	2	3	4	9	6	5
8	1	4	5	9	3	6	7	2
2	6	3	4	8	7	1	5	9
7	5	9	6	2	1	8	3	4

Beginner 47

6	4	7	8	2	3	5	1	9
8	9	1	7	5	4	3	2	6
3	5	2	9	6	1	8	7	4
5	1	8	2	7	6	4	9	3
4	2	3	1	8	9	6	5	7
9	7	6	3	4	5	2	8	1
2	3	9	6	1	8	7	4	5
7	6	5	4	9	2	1	3	8
1	8	4	5	3	7	9	6	2

Beginner 48

7	6	8	5	3	2	1	4	9
2	4	5	7	9	1	3	8	6
3	9	1	6	4	8	2	7	5
4	8	2	9	5	7	6	1	3
1	3	7	2	8	6	5	9	4
6	5	9	3	1	4	7	2	8
8	7	3	4	2	5	9	6	1
5	1	6	8	7	9	4	3	2
9	2	4	1	6	3	8	5	7

Beginner 49

7	6	1	4	9	2	3	8	5
5	3	2	6	8	1	4	9	7
9	4	8	3	5	7	1	6	2
3	9	4	7	2	5	6	1	8
8	2	6	1	3	9	5	7	4
1	5	7	8	6	4	9	2	3
6	1	3	2	4	8	7	5	9
2	7	5	9	1	3	8	4	6
4	8	9	5	7	6	2	3	1

Beginner 50

8	1	2	3	5	4	6	9	7
3	9	4	7	6	2	1	5	8
5	6	7	8	9	1	3	2	4
2	3	6	9	4	8	5	7	1
4	5	8	2	1	7	9	3	6
9	7	1	6	3	5	4	8	2
7	4	3	1	2	9	8	6	5
1	2	9	5	8	6	7	4	3
6	8	5	4	7	3	2	1	9

Beginner 51

5	9	4	3	1	2	8	7	6
3	1	6	7	8	4	5	9	2
8	2	7	6	5	9	4	3	1
9	7	8	2	3	6	1	4	5
4	3	1	5	7	8	6	2	9
2	6	5	4	9	1	3	8	7
6	5	9	8	4	7	2	1	3
7	8	2	1	6	3	9	5	4
1	4	3	9	2	5	7	6	8

Beginner 52

9	1	3	6	4	8	2	7	5
7	6	4	5	1	2	9	3	8
2	5	8	7	3	9	1	6	4
1	4	6	8	9	3	5	2	7
8	3	7	2	5	1	4	9	6
5	2	9	4	7	6	3	8	1
6	8	1	9	2	4	7	5	3
4	7	2	3	8	5	6	1	9
3	9	5	1	6	7	8	4	2

Beginner 53

7	3	5	2	4	1	8	9	6
8	1	2	5	6	9	4	7	3
6	4	9	8	7	3	5	2	1
5	6	7	3	8	4	9	1	2
3	2	8	1	9	7	6	4	5
1	9	4	6	2	5	3	8	7
4	8	1	7	5	6	2	3	9
9	7	6	4	3	2	1	5	8
2	5	3	9	1	8	7	6	4

Beginner 54

4	8	3	2	1	7	9	6	5
7	6	5	4	3	9	2	1	8
2	9	1	8	6	5	7	4	3
6	3	9	1	7	2	5	8	4
8	4	7	9	5	6	3	2	1
1	5	2	3	4	8	6	7	9
9	7	4	6	8	3	1	5	2
5	2	8	7	9	1	4	3	6
3	1	6	5	2	4	8	9	7

Beginner 55

1	9	4	8	7	6	2	5	3
2	8	5	9	4	3	6	1	7
3	6	7	1	2	5	9	8	4
4	1	8	2	6	9	7	3	5
5	2	9	4	3	7	1	6	8
6	7	3	5	1	8	4	9	2
7	3	1	6	8	2	5	4	9
9	4	2	3	5	1	8	7	6
8	5	6	7	9	4	3	2	1

Beginner 56

2	8	4	6	9	1	5	7	3
5	1	9	8	7	3	4	6	2
7	6	3	2	4	5	1	9	8
1	7	5	4	6	8	2	3	9
6	9	8	1	3	2	7	5	4
3	4	2	7	5	9	8	1	6
8	2	6	9	1	7	3	4	5
9	3	1	5	8	4	6	2	7
4	5	7	3	2	6	9	8	1

Beginner 57

6	5	4	2	1	8	3	9	7
1	2	3	4	7	9	5	8	6
9	8	7	5	6	3	4	1	2
8	7	5	6	2	1	9	3	4
3	4	1	7	9	5	2	6	8
2	6	9	8	3	4	7	5	1
7	9	2	1	5	6	8	4	3
5	1	8	3	4	7	6	2	9
4	3	6	9	8	2	1	7	5

Beginner 58

2	3	4	9	6	7	8	1	5
7	1	6	8	2	5	9	3	4
9	8	5	3	4	1	7	6	2
4	5	3	6	9	2	1	7	8
6	9	1	7	8	4	5	2	3
8	7	2	1	5	3	4	9	6
1	2	8	4	3	9	6	5	7
3	4	9	5	7	6	2	8	1
5	6	7	2	1	8	3	4	9

Beginner 59

1	2	3	4	5	8	7	9	6
4	7	5	9	6	2	1	8	3
8	9	6	7	1	3	5	2	4
9	5	8	1	2	6	3	4	7
3	4	1	5	8	7	9	6	2
2	6	7	3	4	9	8	5	1
5	8	2	6	7	1	4	3	9
6	1	9	8	3	4	2	7	5
7	3	4	2	9	5	6	1	8

Beginner 60

7	2	5	1	6	9	3	8	4
8	6	1	2	3	4	5	9	7
4	9	3	5	7	8	6	1	2
1	4	2	8	9	5	7	3	6
3	8	7	6	4	2	1	5	9
6	5	9	7	1	3	2	4	8
9	7	8	3	2	1	4	6	5
2	1	4	9	5	6	8	7	3
5	3	6	4	8	7	9	2	1

Beginner 61

1	6	7	8	9	4	5	2	3
2	4	8	7	3	5	9	6	1
3	9	5	1	2	6	4	7	8
4	1	3	5	7	8	2	9	6
5	8	6	9	4	2	3	1	7
9	7	2	3	6	1	8	4	5
7	3	4	6	5	9	1	8	2
6	2	1	4	8	3	7	5	9
8	5	9	2	1	7	6	3	4

Beginner 62

7	9	5	8	2	6	4	1	3
4	3	8	5	9	1	6	7	2
2	6	1	3	4	7	8	9	5
8	1	6	7	3	5	2	4	9
5	4	9	6	8	2	7	3	1
3	2	7	9	1	4	5	8	6
9	8	2	4	6	3	1	5	7
1	5	4	2	7	9	3	6	8
6	7	3	1	5	8	9	2	4

Beginner 63

1	2	9	8	5	6	4	3	7
4	5	3	1	9	7	6	2	8
7	8	6	4	2	3	1	9	5
5	9	1	2	6	4	8	7	3
2	7	8	3	1	9	5	6	4
6	3	4	5	7	8	2	1	9
3	6	2	7	8	5	9	4	1
9	4	5	6	3	1	7	8	2
8	1	7	9	4	2	3	5	6

Beginner 64

5	6	2	1	8	9	7	3	4
9	3	4	7	6	5	8	1	2
8	7	1	2	3	4	5	6	9
3	1	7	9	5	2	6	4	8
4	9	5	8	1	6	3	2	7
2	8	6	3	4	7	1	9	5
7	4	3	5	9	1	2	8	6
1	5	9	6	2	8	4	7	3
6	2	8	4	7	3	9	5	1

Beginner 65

5	8	9	3	6	1	4	2	7
7	3	1	9	4	2	6	5	8
6	4	2	7	5	8	3	1	9
1	9	5	6	7	3	8	4	2
3	6	8	5	2	4	7	9	1
2	7	4	8	1	9	5	6	3
9	5	3	1	8	6	2	7	4
8	2	6	4	9	7	1	3	5
4	1	7	2	3	5	9	8	6

Beginner 66

3	4	7	2	5	9	6	8	1
2	1	9	6	4	8	5	3	7
8	6	5	3	1	7	9	4	2
6	2	1	7	9	4	8	5	3
5	9	3	8	2	6	1	7	4
7	8	4	1	3	5	2	6	9
4	7	2	5	8	1	3	9	6
9	3	8	4	6	2	7	1	5
1	5	6	9	7	3	4	2	8

Beginner 67

6	3	5	2	8	1	4	7	9
2	9	8	6	4	7	3	5	1
7	4	1	3	9	5	8	6	2
9	7	6	5	2	8	1	4	3
4	1	2	7	3	6	9	8	5
5	8	3	9	1	4	6	2	7
1	2	4	8	7	3	5	9	6
3	6	7	4	5	9	2	1	8
8	5	9	1	6	2	7	3	4

Beginner 68

3	6	2	7	5	1	4	8	9
4	9	5	8	2	3	1	7	6
8	1	7	9	4	6	5	3	2
7	2	9	4	3	8	6	5	1
5	8	1	6	9	2	3	4	7
6	3	4	1	7	5	2	9	8
1	5	3	2	8	7	9	6	4
2	4	8	5	6	9	7	1	3
9	7	6	3	1	4	8	2	5

Beginner 69

4	8	2	1	6	9	5	3	7
3	1	5	8	2	7	9	4	6
6	7	9	5	4	3	1	8	2
1	3	6	2	8	4	7	9	5
5	9	4	3	7	1	6	2	8
7	2	8	6	9	5	4	1	3
2	5	1	4	3	6	8	7	9
8	6	7	9	1	2	3	5	4
9	4	3	7	5	8	2	6	1

Beginner 70

5	9	1	6	3	4	8	7	2
2	4	7	8	1	9	3	6	5
8	3	6	2	7	5	1	9	4
9	7	4	1	8	2	5	3	6
1	6	2	9	5	3	4	8	7
3	8	5	7	4	6	9	2	1
6	1	3	4	2	8	7	5	9
7	2	8	5	9	1	6	4	3
4	5	9	3	6	7	2	1	8

Beginner 71

1	4	5	8	3	9	6	7	2
3	6	7	2	5	1	4	8	9
9	8	2	7	6	4	1	3	5
4	2	3	6	1	8	9	5	7
5	7	1	9	2	3	8	6	4
8	9	6	5	4	7	2	1	3
6	3	4	1	7	2	5	9	8
7	1	9	4	8	5	3	2	6
2	5	8	3	9	6	7	4	1

Beginner 72

1	6	5	7	9	8	2	3	4
8	2	9	6	3	4	5	1	7
7	4	3	1	5	2	6	9	8
6	3	2	8	1	5	7	4	9
4	8	7	9	6	3	1	2	5
5	9	1	4	2	7	8	6	3
2	7	6	3	8	9	4	5	1
9	1	4	5	7	6	3	8	2
3	5	8	2	4	1	9	7	6

Beginner 73

9	3	5	7	4	2	1	8	6
7	6	1	8	3	9	2	5	4
8	2	4	1	5	6	3	7	9
4	5	3	9	6	1	7	2	8
6	1	8	3	2	7	9	4	5
2	7	9	4	8	5	6	1	3
3	8	6	2	1	4	5	9	7
5	9	2	6	7	8	4	3	1
1	4	7	5	9	3	8	6	2

Beginner 74

2	5	1	4	7	6	3	9	8
9	8	6	3	2	5	7	1	4
3	7	4	1	8	9	5	2	6
7	4	5	6	9	1	2	8	3
6	1	9	2	3	8	4	7	5
8	3	2	7	5	4	9	6	1
1	9	7	8	4	3	6	5	2
4	2	8	5	6	7	1	3	9
5	6	3	9	1	2	8	4	7

Beginner 75

8	1	3	5	2	4	9	7	6
2	9	5	6	7	3	4	1	8
6	4	7	1	8	9	2	5	3
7	5	1	2	9	6	8	3	4
9	2	4	3	5	8	1	6	7
3	6	8	4	1	7	5	9	2
4	8	6	9	3	5	7	2	1
1	3	9	7	4	2	6	8	5
5	7	2	8	6	1	3	4	9

Beginner 76

1	5	9	8	2	6	4	7	3
3	8	7	4	1	5	6	2	9
6	4	2	7	3	9	1	5	8
9	7	1	3	5	4	8	6	2
4	2	6	9	7	8	5	3	1
5	3	8	2	6	1	7	9	4
8	9	5	6	4	3	2	1	7
7	1	3	5	8	2	9	4	6
2	6	4	1	9	7	3	8	5

Beginner 77

6	2	7	8	5	9	4	3	1
3	4	9	1	6	7	2	5	8
8	5	1	4	3	2	7	6	9
1	3	4	9	2	5	8	7	6
7	6	2	3	8	4	9	1	5
5	9	8	6	7	1	3	2	4
4	1	3	7	9	6	5	8	2
2	7	6	5	4	8	1	9	3
9	8	5	2	1	3	6	4	7

Beginner 78

9	8	6	5	4	1	3	2	7
3	7	4	8	2	9	5	1	6
2	5	1	7	6	3	9	4	8
4	6	5	9	8	7	2	3	1
1	2	3	4	5	6	7	8	9
7	9	8	1	3	2	4	6	5
8	4	2	6	9	5	1	7	3
6	1	9	3	7	4	8	5	2
5	3	7	2	1	8	6	9	4

Beginner 79

1	6	2	8	9	3	7	5	4
8	3	4	5	7	2	6	9	1
5	7	9	6	4	1	2	8	3
2	5	3	7	1	9	8	4	6
9	4	6	3	8	5	1	7	2
7	8	1	4	2	6	9	3	5
6	9	5	2	3	7	4	1	8
3	1	8	9	6	4	5	2	7
4	2	7	1	5	8	3	6	9

Beginner 80

2	3	5	8	4	9	6	7	1
9	7	8	3	1	5	2	9	4
9	4	1	2	6	7	8	5	3
5	8	4	9	7	3	1	6	2
7	9	6	1	2	8	3	4	5
1	2	3	4	5	6	7	8	9
4	6	7	5	3	2	9	1	8
8	1	2	6	9	4	5	3	7
3	5	9	7	8	1	4	2	6

Beginner 81

6	3	2	1	4	7	8	9	5
4	7	9	2	5	8	6	1	3
5	8	1	3	6	9	4	2	7
3	2	8	9	7	6	1	5	4
1	5	7	4	3	2	9	8	6
9	4	6	8	1	5	7	3	2
7	6	3	5	9	1	2	4	8
2	1	4	7	8	3	5	6	9
8	9	5	6	2	4	3	7	1

Beginner 82

1	8	7	6	9	5	2	4	3
2	9	6	3	4	7	1	5	8
3	4	5	2	8	1	6	7	9
9	7	2	1	6	4	8	3	5
8	5	1	9	2	3	4	6	7
4	6	3	7	5	8	9	2	1
5	2	4	8	3	9	7	1	6
7	3	8	4	1	6	5	9	2
6	1	9	5	7	2	3	8	4

Beginner 83

7	6	5	2	3	9	8	1	4
2	4	1	5	7	8	6	3	9
9	8	3	1	6	4	7	2	5
5	1	8	4	2	6	3	9	7
6	2	9	3	1	7	5	4	8
3	7	4	8	9	5	2	6	1
4	3	2	7	5	1	9	8	6
8	5	6	9	4	2	1	7	3
1	9	7	6	8	3	4	5	2

Beginner 84

6	9	7	1	3	4	8	2	5
5	1	4	2	9	8	6	3	7
8	2	3	6	5	7	9	4	1
3	4	2	8	1	5	7	6	9
9	8	1	3	7	6	4	5	2
7	6	5	4	2	9	1	8	3
2	3	6	9	8	1	5	7	4
4	5	9	7	6	2	3	1	8
1	7	8	5	4	3	2	9	6

Beginner 85

5	3	9	7	2	4	1	8	6
8	6	7	9	3	1	5	2	4
2	1	4	5	6	8	3	7	9
3	8	1	2	4	7	9	6	5
9	5	6	8	1	3	7	4	2
7	4	2	6	5	9	8	1	3
6	2	8	3	7	5	4	9	1
4	9	3	1	8	2	6	5	7
1	7	5	4	9	6	2	3	8

Beginner 86

8	5	7	6	9	1	2	3	4
3	9	4	8	2	5	6	7	1
6	2	1	7	4	3	5	9	8
5	1	6	9	8	7	3	4	2
4	7	8	3	6	2	9	1	5
9	3	2	1	5	4	7	8	6
1	6	9	5	3	8	4	2	7
2	8	5	4	7	9	1	6	3
7	4	3	2	1	6	8	5	9

Beginner 87

4	5	1	7	9	8	2	6	3
3	8	9	6	2	4	7	1	5
6	2	7	3	5	1	9	4	8
8	1	5	2	4	7	3	9	6
7	4	6	9	1	3	5	8	2
9	3	2	8	6	5	4	7	1
2	6	8	4	3	9	1	5	7
5	7	4	1	8	2	6	3	9
1	9	3	5	7	6	8	2	4

Beginner 88

3	8	2	9	5	4	7	6	1
1	4	9	7	6	8	3	2	5
7	5	6	3	1	2	4	9	8
5	9	7	8	2	1	6	4	3
2	6	4	5	7	3	8	1	9
8	1	3	4	9	6	2	5	7
4	3	1	6	8	5	9	7	2
6	7	5	2	3	9	1	8	4
9	2	8	1	4	7	5	3	6

Beginner 89

4	7	5	3	8	9	1	2	6
9	1	3	2	5	6	4	7	8
2	8	6	7	1	4	5	3	9
8	4	2	9	7	3	6	1	5
5	3	9	4	6	1	7	8	2
7	6	1	8	2	5	3	9	4
3	5	7	6	9	2	8	4	1
1	2	8	5	4	7	9	6	3
6	9	4	1	3	8	2	5	7

Intermediate 1

2	8	3	7	1	9	4	5	6
7	5	4	6	3	8	2	1	9
6	1	9	2	4	5	7	8	3
9	6	1	4	7	3	5	2	8
4	2	8	5	9	1	6	3	7
5	3	7	8	2	6	9	4	1
1	9	2	3	6	4	8	7	5
8	4	6	1	5	7	3	9	2
3	7	5	9	8	2	1	6	4

Intermediate 2

7	3	5	8	1	6	2	9	4
4	6	8	3	9	2	1	7	5
2	1	9	5	7	4	8	3	6
9	2	3	6	4	1	7	5	8
5	7	6	9	8	3	4	1	2
8	4	1	7	2	5	3	6	9
1	5	4	2	3	9	6	8	7
3	9	7	4	6	8	5	2	1
6	8	2	1	5	7	9	4	3

Intermediate 3

9	4	7	1	3	6	2	8	5
5	6	8	4	9	2	7	1	3
2	3	1	7	8	5	6	9	4
3	8	4	9	2	1	5	6	7
1	7	9	6	5	3	4	2	8
6	5	2	8	4	7	9	3	1
7	9	5	3	6	8	1	4	2
8	2	6	5	1	4	3	7	9
4	1	3	2	7	9	8	5	6

Intermediate 4

9	7	2	4	6	8	1	5	3
8	3	4	5	7	1	9	6	2
5	1	6	2	3	9	8	4	7
3	5	1	6	4	7	2	9	8
7	4	8	9	1	2	5	3	6
6	2	9	8	5	3	7	1	4
2	6	3	7	9	5	4	8	1
1	9	7	3	8	4	6	2	5
4	8	5	1	2	6	3	7	9

Intermediate 5

4	3	7	6	5	1	8	2	9
5	2	9	7	8	3	1	6	4
8	1	6	4	2	9	7	3	5
1	7	3	2	9	6	5	4	8
6	9	4	8	3	5	2	1	7
2	8	5	1	4	7	3	9	6
3	5	1	9	7	4	6	8	2
7	4	8	3	6	2	9	5	1
9	6	2	5	1	8	4	7	3

Intermediate 6

8	4	5	9	6	1	3	7	2
3	7	1	2	4	5	9	6	8
2	6	9	7	8	3	1	4	5
4	3	7	1	5	9	8	2	6
1	8	6	4	3	2	7	5	9
9	5	2	6	7	8	4	3	1
7	2	4	8	1	6	5	9	3
6	1	3	5	9	7	2	8	4
5	9	8	3	2	4	6	1	7

Intermediate 7

1	8	9	4	7	5	6	2	3
6	5	7	3	9	2	1	8	4
4	2	3	6	1	8	5	7	9
7	4	5	9	2	6	8	3	1
8	3	1	5	4	7	2	9	6
9	6	2	1	8	3	4	5	7
2	1	8	7	6	9	3	4	5
5	7	6	2	3	4	9	1	8
3	9	4	8	5	1	7	6	2

Intermediate 8

5	4	9	3	7	6	1	8	2
8	7	1	2	4	9	5	3	6
2	6	3	1	8	5	9	7	4
7	1	2	6	9	8	4	5	3
9	3	5	4	1	7	2	6	8
4	8	6	5	3	2	7	1	9
3	2	7	9	6	1	8	4	5
6	9	8	7	5	4	3	2	1
1	5	4	8	2	3	6	9	7

Intermediate 9

9	6	2	4	3	7	8	5	1
1	7	4	9	8	5	6	3	2
3	8	5	1	2	6	9	4	7
6	2	3	8	1	4	5	7	9
8	4	1	7	5	9	3	2	6
7	5	9	2	6	3	1	8	4
4	3	6	5	9	2	7	1	8
5	1	7	6	4	8	2	9	3
2	9	8	3	7	1	4	6	5

Intermediate 10

8	1	9	4	6	3	2	5	7
6	5	4	7	2	8	1	3	9
3	7	2	1	9	5	8	6	4
5	2	8	6	3	9	7	4	1
7	9	1	2	5	4	3	8	6
4	3	6	8	7	1	9	2	5
1	8	5	3	4	7	6	9	2
9	6	3	5	1	2	4	7	8
2	4	7	9	8	6	5	1	3

Intermediate 11

2	7	4	5	1	6	3	9	8
8	1	6	9	3	7	5	4	2
9	3	5	4	2	8	1	6	7
3	4	1	7	9	2	6	8	5
5	6	9	1	8	3	7	2	4
7	2	8	6	4	5	9	3	1
4	9	3	2	5	1	8	7	6
6	5	2	8	7	9	4	1	3
1	8	7	3	6	4	2	5	9

Intermediate 12

8	4	9	6	7	5	2	1	3
2	3	7	4	8	1	5	9	6
1	5	6	3	9	2	7	8	4
7	2	4	9	6	3	8	5	1
6	8	5	2	1	7	4	3	9
3	9	1	5	4	8	6	7	2
5	6	3	7	2	9	1	4	8
4	7	8	1	3	6	9	2	5
9	1	2	8	5	4	3	6	7

Intermediate 13

3	8	6	5	7	9	1	4	2
2	9	7	1	3	4	8	5	6
5	4	1	2	8	6	9	3	7
1	3	4	7	9	2	6	8	5
8	2	9	3	6	5	7	1	4
7	6	5	8	4	1	2	9	3
4	1	8	6	5	7	3	2	9
6	5	3	9	2	8	4	7	1
9	7	2	4	1	3	5	6	8

Intermediate 14

7	5	1	6	8	3	9	4	2
9	3	2	1	7	4	5	6	8
4	6	8	9	2	5	7	3	1
3	7	5	2	9	6	1	8	4
1	4	6	8	5	7	3	2	9
8	2	9	4	3	1	6	5	7
2	9	3	5	1	8	4	7	6
6	8	7	3	4	9	2	1	5
5	1	4	7	6	2	8	9	3

Intermediate 15

6	8	7	9	3	5	4	2	1
2	4	5	8	6	1	7	9	3
3	1	9	4	7	2	5	8	6
9	7	6	5	1	8	2	3	4
4	3	8	2	9	7	6	1	5
5	2	1	6	4	3	8	7	9
1	5	2	3	8	4	9	6	7
7	9	4	1	2	6	3	5	8
8	6	3	7	5	9	1	4	2

Intermediate 16

3	7	9	4	2	5	6	8	1
8	2	5	6	9	1	7	4	3
4	6	1	3	7	8	9	5	2
6	4	8	7	1	2	3	9	5
1	5	3	9	8	6	2	7	4
2	9	7	5	3	4	8	1	6
7	3	6	1	5	9	4	2	8
9	1	2	8	4	3	5	6	7
5	8	4	2	6	7	1	3	9

Intermediate 17

9	7	3	5	2	1	4	6	8
4	6	8	9	3	7	5	2	1
2	1	5	4	8	6	7	9	3
7	5	4	1	9	3	6	8	2
3	2	9	8	6	4	1	7	5
6	8	1	2	7	5	9	3	4
8	4	2	7	5	9	3	1	6
1	3	7	6	4	2	8	5	9
5	9	6	3	1	8	2	4	7

Intermediate 18

9	4	3	2	1	7	5	8	6
8	2	1	4	5	6	9	7	3
7	5	6	9	3	8	4	2	1
6	7	2	1	9	5	8	3	4
4	9	8	7	2	3	1	6	5
1	3	5	8	6	4	7	9	2
3	8	7	5	4	2	6	1	9
2	1	4	6	8	9	3	5	7
5	6	9	3	7	1	2	4	8

Intermediate 19

9	8	7	5	1	4	3	2	6
3	1	6	9	8	2	4	5	7
5	4	2	3	7	6	8	9	1
4	2	3	8	5	7	1	6	9
7	9	1	6	2	3	5	4	8
8	6	5	1	4	9	7	3	2
6	7	4	2	3	8	9	1	5
2	5	8	4	9	1	6	7	3
1	3	9	7	6	5	2	8	4

Intermediate 20

7	4	9	3	2	8	6	5	1
2	1	6	9	4	5	8	3	7
5	3	8	7	1	6	9	2	4
6	9	3	8	7	2	4	1	5
4	2	7	5	9	1	3	8	6
1	8	5	6	3	4	7	9	2
8	6	4	2	5	9	1	7	3
9	7	2	1	6	3	5	4	8
3	5	1	4	8	7	2	6	9

Intermediate 21

9	2	7	8	4	1	3	5	6
4	1	6	3	5	9	2	7	8
3	5	8	2	6	7	4	9	1
7	3	9	1	8	5	6	2	4
8	6	2	4	9	3	7	1	5
1	4	5	6	7	2	8	3	9
5	7	4	9	2	6	1	8	3
6	9	3	7	1	8	5	4	2
2	8	1	5	3	4	9	6	7

Intermediate 22

6	5	7	2	1	9	4	3	8
2	1	4	8	6	3	7	5	9
3	8	9	7	5	4	2	6	1
7	6	5	9	2	8	1	4	3
1	3	8	6	4	7	5	9	2
4	9	2	5	3	1	8	7	6
8	7	1	3	9	5	6	2	4
5	2	3	4	8	6	9	1	7
9	4	6	1	7	2	3	8	5

Intermediate 23

1	7	8	6	2	3	9	5	4
9	4	2	5	1	8	7	6	3
5	3	6	4	9	7	1	8	2
2	9	5	3	6	1	8	4	7
6	8	4	2	7	9	3	1	5
3	1	7	8	5	4	6	2	9
4	6	9	1	3	2	5	7	8
7	2	1	9	8	5	4	3	6
8	5	3	7	4	6	2	9	1

Intermediate 24

8	6	2	9	5	4	1	7	3
4	3	7	8	6	1	5	9	2
5	9	1	2	3	7	6	4	8
7	8	5	3	4	6	2	1	9
2	4	6	1	8	9	3	5	7
9	1	3	7	2	5	8	6	4
6	2	4	5	7	8	9	3	1
3	5	9	4	1	2	7	8	6
1	7	8	6	9	3	4	2	5

Intermediate 25

3	8	4	7	5	2	6	9	1
9	7	1	6	4	3	2	5	8
6	2	5	9	8	1	7	3	4
4	1	2	5	3	7	8	6	9
8	3	9	2	1	6	4	7	5
7	5	6	4	9	8	3	1	2
2	9	3	1	7	4	5	8	6
5	4	8	3	6	9	1	2	7
1	6	7	8	2	5	9	4	3

Intermediate 26

8	5	9	3	7	6	4	2	1
7	2	3	1	4	8	5	6	9
6	4	1	2	9	5	8	7	3
9	6	2	4	5	3	1	8	7
4	3	7	6	8	1	9	5	2
1	8	5	7	2	9	3	4	6
2	9	4	5	1	7	6	3	8
3	7	8	9	6	4	2	1	5
5	1	6	8	3	2	7	9	4

Intermediate 27

8	2	4	7	1	5	6	3	9
6	5	3	8	4	9	1	7	2
7	1	9	2	6	3	8	4	5
4	8	7	6	2	1	9	5	3
3	9	1	5	7	8	4	2	6
2	6	5	3	9	4	7	8	1
9	7	6	4	3	2	5	1	8
5	4	2	1	8	6	3	9	7
1	3	8	9	5	7	2	6	4

Intermediate 28

5	4	6	7	8	1	2	3	9
9	7	1	6	2	3	8	4	5
8	2	3	9	5	4	1	6	7
7	1	5	4	3	9	6	2	8
6	3	9	2	1	8	5	7	4
4	8	2	5	7	6	9	1	3
1	9	8	3	6	7	4	5	2
2	6	7	8	4	5	3	9	1
3	5	4	1	9	2	7	8	6

Intermediate 29

9	6	4	1	3	2	8	7	5
1	8	2	9	5	7	3	6	4
7	3	5	4	8	6	1	2	9
4	9	6	5	2	8	7	3	1
2	1	7	3	4	9	5	8	6
3	5	8	6	7	1	4	9	2
6	7	3	2	1	5	9	4	8
8	2	1	7	9	4	6	5	3
5	4	9	8	6	3	2	1	7

Intermediate 30

9	1	4	3	5	2	6	8	7
2	7	5	1	8	6	9	4	3
3	8	6	9	4	7	1	2	5
4	9	7	8	2	1	5	3	6
1	5	2	7	6	3	8	9	4
6	3	8	4	9	5	2	7	1
7	6	3	2	1	8	4	5	9
8	4	1	5	7	9	3	6	2
5	2	9	6	3	4	7	1	8

Intermediate 31

9	4	2	6	3	5	1	7	8
5	1	7	4	9	8	3	2	6
6	3	8	7	1	2	9	4	5
4	5	3	9	8	1	2	6	7
7	8	1	2	6	3	5	4	9
2	6	9	5	7	4	8	3	1
1	9	4	3	5	7	6	8	2
3	7	6	8	2	9	4	1	5
8	2	5	1	4	6	7	9	3

Intermediate 32

7	4	9	5	1	2	8	6	3
6	3	8	9	4	7	1	2	5
1	2	5	3	8	6	4	9	7
9	5	1	8	7	3	6	4	2
3	8	6	2	5	4	7	1	9
2	7	4	6	9	1	3	5	8
4	1	2	7	3	9	5	8	6
8	9	3	4	6	5	2	7	1
5	6	7	1	2	8	9	3	4

Intermediate 33

2	3	9	6	7	5	8	1	4
8	1	6	2	4	3	7	5	9
7	4	5	1	9	8	3	2	6
9	5	2	7	3	1	6	4	8
1	6	4	8	5	9	2	3	7
3	8	7	4	6	2	5	9	1
6	9	3	5	1	7	4	8	2
4	2	1	3	8	6	9	7	5
5	7	8	9	2	4	1	6	3

Intermediate 34

3	7	6	4	2	1	9	5	8
8	2	5	3	9	6	7	4	1
9	1	4	5	8	7	6	3	2
5	9	7	2	1	3	8	6	4
4	3	2	8	6	9	5	1	7
6	8	1	7	4	5	3	2	9
2	4	9	6	5	8	1	7	3
1	6	3	9	7	4	2	8	5
7	5	8	1	3	2	4	9	6

Intermediate 35

1	3	5	6	2	9	8	7	4
4	8	6	1	5	7	9	3	2
9	7	2	3	4	8	1	5	6
7	2	1	4	3	6	5	8	9
3	6	4	8	9	5	7	2	1
8	5	9	2	7	1	4	6	3
5	4	3	9	8	2	6	1	7
2	1	7	5	6	4	3	9	8
6	9	8	7	1	3	2	4	5

Intermediate 36

8	3	6	7	4	5	1	2	9
1	4	5	3	2	9	8	7	6
9	7	2	1	8	6	3	4	5
7	6	9	8	5	3	4	1	2
4	1	8	9	6	2	5	3	7
2	5	3	4	7	1	9	6	8
5	8	7	2	1	4	6	9	3
6	9	4	5	3	7	2	8	1
3	2	1	6	9	8	7	5	4

Intermediate 37

8	6	1	7	9	4	2	5	3
9	4	3	2	5	6	8	7	1
5	7	2	1	8	3	4	9	6
3	1	5	9	6	2	7	4	8
6	2	4	8	1	7	9	3	5
7	8	9	4	3	5	1	6	2
1	3	8	5	7	9	6	2	4
2	9	6	3	4	1	5	8	7
4	5	7	6	2	8	3	1	9

Intermediate 38

6	4	9	8	7	1	3	5	2
5	2	8	4	9	3	1	6	7
7	3	1	6	5	2	9	4	8
2	5	4	7	1	8	6	3	9
3	8	7	5	6	9	4	2	1
9	1	6	3	2	4	7	8	5
8	7	2	9	4	6	5	1	3
4	9	3	1	8	5	2	7	6
1	6	5	2	3	7	8	9	4

Intermediate 39

8	1	3	7	6	4	5	2	9
2	7	9	5	8	1	4	3	6
5	6	4	3	9	2	8	7	1
9	4	2	6	7	3	1	8	5
1	3	8	2	5	9	7	6	4
6	5	7	1	4	8	3	9	2
7	9	5	4	3	6	2	1	8
4	2	6	8	1	7	9	5	3
3	8	1	9	2	5	6	4	7

Intermediate 40

1	9	5	6	8	3	4	7	2
8	7	3	4	2	1	6	5	9
6	4	2	5	9	7	8	1	3
4	6	1	3	5	9	2	8	7
5	3	7	2	6	8	1	9	4
9	2	8	7	1	4	5	3	6
2	8	6	9	7	5	3	4	1
3	1	9	8	4	6	7	2	5
7	5	4	1	3	2	9	6	8

Intermediate 41

9	6	4	3	7	1	5	2	8
5	1	8	2	6	4	7	3	9
2	3	7	9	5	8	1	6	4
3	8	6	7	1	5	4	9	2
7	4	9	8	2	3	6	5	1
1	2	5	4	9	6	8	7	3
4	7	2	5	8	9	3	1	6
8	9	1	6	3	7	2	4	5
6	5	3	1	4	2	9	8	7

Intermediate 42

9	6	5	1	2	8	7	4	3
1	8	3	4	7	6	9	5	2
7	2	4	3	5	9	1	6	8
8	1	2	7	9	4	6	3	5
3	4	7	5	6	1	8	2	9
6	5	9	2	8	3	4	7	1
5	3	1	8	4	7	2	9	6
2	7	6	9	1	5	3	8	4
4	9	8	6	3	2	5	1	7

Intermediate 43

3	5	8	7	4	1	6	2	9
4	9	2	8	5	6	7	3	1
7	1	6	2	9	3	8	4	5
5	8	1	9	3	2	4	7	6
2	7	9	6	8	4	1	5	3
6	4	3	5	1	7	2	9	8
1	3	7	4	6	5	9	8	2
9	6	4	3	2	8	5	1	7
8	2	5	1	7	9	3	6	4

Intermediate 44

4	5	3	9	7	1	8	2	6
8	2	1	4	3	6	5	9	7
7	9	6	2	8	5	4	1	3
9	4	8	3	1	7	2	6	5
6	1	2	5	9	4	3	7	8
3	7	5	8	6	2	9	4	1
5	6	9	7	2	8	1	3	4
1	3	4	6	5	9	7	8	2
2	8	7	1	4	3	6	5	9

Intermediate 45

5	6	4	3	2	9	7	8	1
9	2	8	1	5	7	6	3	4
1	7	3	6	4	8	9	5	2
2	9	5	8	7	4	3	1	6
4	3	7	5	6	1	8	2	9
8	1	6	9	3	2	4	7	5
3	8	9	4	1	5	2	6	7
6	5	2	7	9	3	1	4	8
7	4	1	2	8	6	5	9	3

Intermediate 46

9	8	6	4	1	3	5	7	2
5	1	7	2	9	8	3	4	6
4	3	2	7	6	5	1	8	9
7	2	3	9	8	4	6	1	5
1	9	4	5	3	6	8	2	7
6	5	8	1	2	7	9	3	4
3	7	1	6	4	9	2	5	8
8	4	9	3	5	2	7	6	1
2	6	5	8	7	1	4	9	3

Intermediate 47

4	5	1	8	7	3	2	6	9
7	3	2	6	9	1	5	8	4
8	6	9	2	4	5	1	3	7
9	1	6	4	2	7	3	5	8
5	2	4	3	8	9	7	1	6
3	7	8	5	1	6	4	9	2
1	8	5	7	6	2	9	4	3
6	9	7	1	3	4	8	2	5
2	4	3	9	5	8	6	7	1

Intermediate 48

3	7	9	5	2	1	6	4	8
6	1	8	9	4	3	7	2	5
4	5	2	8	6	7	1	9	3
8	9	3	6	5	2	4	1	7
1	4	7	3	9	8	2	5	6
2	6	5	1	7	4	8	3	9
7	3	1	2	8	5	9	6	4
9	2	4	7	3	6	5	8	1
5	8	6	4	1	9	3	7	2

Intermediate 49

5	1	2	9	8	3	4	7	6
9	7	4	6	5	1	3	8	2
3	8	6	4	2	7	5	9	1
8	5	7	1	6	9	2	4	3
1	2	9	3	4	5	7	6	8
6	4	3	2	7	4	9	1	5
2	6	5	8	9	4	1	3	7
7	9	1	5	3	6	8	2	4
4	3	8	7	1	2	6	5	9

Intermediate 50

2	9	4	3	8	6	1	7	5
6	8	1	4	7	5	9	2	3
5	7	3	9	2	1	4	6	8
7	5	6	1	3	4	8	9	2
1	3	2	8	6	9	7	5	4
8	4	9	7	5	2	6	3	1
4	6	5	2	9	8	3	1	7
9	1	7	5	4	3	2	8	6
3	2	8	6	1	7	5	4	9

Intermediate 51

1	6	8	4	5	2	9	7	3
2	9	7	3	1	6	5	8	4
5	4	3	7	8	9	2	6	1
6	1	2	5	9	3	7	4	8
9	3	4	2	7	8	6	1	5
8	7	5	6	4	1	3	2	9
7	2	9	1	3	4	8	5	6
3	5	1	8	6	7	4	9	2
4	8	6	9	2	5	1	3	7

Intermediate 52

8	6	9	2	5	3	7	1	4
5	1	2	4	7	6	8	9	3
7	3	4	8	9	1	6	2	5
4	2	7	9	8	5	3	6	1
9	5	3	1	6	4	2	7	8
6	8	1	7	3	2	4	5	9
2	4	8	5	1	7	9	3	6
3	9	5	6	2	8	1	4	7
1	7	6	3	4	9	5	8	2

Intermediate 53

6	1	7	5	2	8	4	3	9
9	5	8	6	4	3	2	1	7
3	2	4	7	1	9	6	5	8
7	6	5	8	9	4	1	2	3
8	3	9	1	5	2	7	6	4
1	4	2	3	7	6	8	9	5
5	7	6	9	8	1	3	4	2
4	9	3	2	6	7	5	8	1
2	8	1	4	3	5	9	7	6

Intermediate 54

2	4	5	7	6	8	3	1	9
8	6	3	5	1	9	2	4	7
7	9	1	3	2	4	5	6	8
1	3	4	2	8	5	7	9	6
6	8	7	1	9	3	4	2	5
9	5	2	4	7	6	1	8	3
3	2	6	9	5	1	8	7	4
5	1	8	6	4	7	9	3	2
4	7	9	8	3	2	6	5	1

Intermediate 55

4	5	9	3	1	6	2	8	7
6	3	8	2	5	7	4	9	1
1	7	2	4	9	8	5	6	3
8	2	4	6	7	1	9	3	5
9	1	7	5	2	3	6	4	8
5	6	3	9	8	4	1	7	2
3	9	1	8	4	5	7	2	6
7	4	6	1	3	2	8	5	9
2	8	5	7	6	9	3	1	4

Intermediate 56

5	2	4	8	7	6	3	1	9
7	9	6	4	1	3	8	2	5
8	1	3	9	5	2	4	7	6
3	6	5	1	2	8	7	9	4
4	8	2	7	3	9	5	6	1
1	7	9	5	6	4	2	8	3
6	4	1	2	8	5	9	3	7
2	5	7	3	9	1	6	4	8
9	3	8	6	4	7	1	5	2

Intermediate 57

2	9	4	7	6	5	3	1	8
7	1	6	3	2	8	5	9	4
5	8	3	4	9	1	2	7	6
6	5	9	8	7	3	1	4	2
8	4	7	5	1	2	6	3	9
3	2	1	6	4	9	8	5	7
4	7	2	1	3	6	9	8	5
9	3	5	2	8	7	4	6	1
1	6	8	9	5	4	7	2	3

Intermediate 58

6	5	3	1	7	8	9	4	2
4	7	1	6	2	9	5	8	3
8	9	2	3	4	5	6	1	7
1	8	6	4	8	2	3	7	5
2	4	9	7	5	3	1	6	8
5	3	7	8	1	6	4	2	9
3	2	4	9	6	7	8	5	1
9	1	5	2	8	4	7	3	6
7	6	8	5	3	1	2	9	4

Intermediate 59

3	9	1	6	5	7	4	8	2
6	2	7	8	9	4	3	1	5
4	5	8	3	1	2	6	7	9
7	6	9	5	2	3	1	4	8
1	4	3	9	8	6	2	5	7
5	8	2	7	4	1	9	6	3
8	7	6	4	3	9	5	2	1
2	3	4	1	7	5	8	9	6
9	1	5	2	6	8	7	3	4

Intermediate 60

4	9	5	8	6	2	7	3	1
8	7	3	4	5	1	9	2	6
1	2	6	3	7	9	4	5	8
3	6	7	2	8	5	1	9	4
9	5	1	6	3	4	8	7	2
2	8	4	9	1	7	3	6	5
7	1	8	5	2	3	6	4	9
6	4	2	7	9	8	5	1	3
5	3	9	1	4	6	2	8	7

Intermediate 61

7	2	5	8	3	1	6	9	4
1	8	6	9	2	4	5	7	3
9	4	3	6	5	7	2	8	1
4	1	9	5	7	8	3	6	2
5	3	7	4	6	2	8	1	9
8	6	2	1	9	3	4	5	7
3	5	4	7	8	9	1	2	6
6	7	1	2	4	5	9	3	8
2	9	8	3	1	6	7	4	5

Intermediate 62

3	2	4	7	9	5	8	6	1
1	6	7	8	3	2	5	4	9
8	9	5	4	6	1	3	7	2
5	4	9	6	2	8	7	1	3
7	1	3	5	4	9	6	2	8
2	8	6	1	7	3	4	9	5
6	3	2	9	8	7	1	5	4
9	7	1	3	5	4	2	8	6
4	5	8	2	1	6	9	3	7

Intermediate 63

8	6	7	5	1	4	3	9	2
4	1	5	2	3	9	8	7	6
2	9	3	7	8	6	1	5	4
5	2	8	3	6	7	4	1	9
1	3	4	8	9	5	2	6	7
6	7	9	4	2	1	5	8	3
7	8	1	6	4	2	9	3	5
3	4	6	9	5	8	7	2	1
9	5	2	1	7	3	6	4	8

Intermediate 64

2	6	8	5	4	9	7	1	3
1	5	9	3	2	7	6	4	8
4	3	7	1	8	6	9	5	2
6	2	4	9	1	3	8	7	5
9	1	3	8	7	5	4	2	6
7	8	5	2	6	4	1	3	9
3	9	6	7	5	1	2	8	4
5	7	2	4	9	8	3	6	1
8	4	1	6	3	2	5	9	7

Intermediate 65

1	2	7	4	9	5	8	3	6
6	9	3	8	1	2	7	4	5
4	5	8	3	7	6	9	2	1
2	3	9	6	8	1	4	5	7
8	4	1	5	3	7	6	9	2
5	7	6	2	4	9	1	8	3
9	6	4	7	5	3	2	1	8
7	8	5	1	2	4	3	6	9
3	1	2	9	6	8	5	7	4

Intermediate 66

1	8	4	7	9	6	2	5	3
6	7	2	4	5	3	8	9	1
5	3	9	8	1	2	4	6	7
3	6	8	9	4	1	5	7	2
9	1	5	2	3	7	6	4	8
2	4	7	5	6	8	3	1	9
7	5	1	3	2	4	9	8	6
8	9	3	6	7	5	1	2	4
4	2	6	1	8	9	7	3	5

Intermediate 67

8	9	6	5	7	2	1	3	4
2	1	5	3	9	4	7	8	6
3	4	7	6	1	8	2	5	9
9	7	1	4	2	5	8	6	3
5	6	2	8	3	9	4	7	1
4	3	8	7	6	1	5	9	2
6	2	3	1	8	7	9	4	5
1	8	4	9	5	6	3	2	7
7	5	9	2	4	3	6	1	8

Intermediate 68

6	2	7	4	5	3	1	9	8
5	8	3	9	7	1	2	4	6
9	1	4	8	2	6	7	3	5
8	7	9	1	3	5	4	6	2
2	3	6	7	4	8	9	5	1
4	5	1	6	9	2	3	8	7
3	9	8	5	1	7	6	2	4
1	6	2	3	8	4	5	7	9
7	4	5	2	6	9	8	1	3

Intermediate 69

9	5	7	2	8	6	4	1	3
2	4	6	1	5	3	7	9	8
8	3	1	7	4	9	2	5	6
4	6	5	8	9	7	1	3	2
1	8	3	5	6	2	9	4	7
7	9	2	4	3	1	6	8	5
6	1	8	9	7	5	3	2	4
3	2	4	6	1	8	5	7	9
5	7	9	3	2	4	8	6	1

Intermediate 70

8	9	6	2	7	4	5	3	1
5	2	4	3	1	9	7	6	8
3	7	1	6	5	8	4	2	9
9	6	7	8	2	5	3	1	4
4	8	3	1	9	7	2	5	6
2	1	5	4	3	6	9	8	7
1	5	9	7	8	3	6	4	2
6	3	2	9	4	1	8	7	5
7	4	8	5	6	2	1	9	3

Intermediate 71

3	7	2	1	9	8	4	6	5
4	6	9	5	2	7	8	3	1
8	5	1	6	3	4	2	9	7
1	9	7	2	8	5	6	4	3
5	4	3	9	1	6	7	8	2
6	2	8	4	7	3	1	5	9
9	3	4	7	6	1	5	2	8
7	8	6	3	5	2	9	1	4
2	1	5	8	4	9	3	7	6

Intermediate 72

5	2	7	8	4	6	3	9	1
9	8	1	2	3	7	5	4	6
3	6	4	5	1	9	8	2	7
2	7	6	9	8	4	1	3	5
4	3	8	6	5	1	2	7	9
1	9	5	7	2	3	4	6	8
8	5	9	3	6	2	7	1	4
7	1	2	4	9	5	6	8	3
6	4	3	1	7	8	9	5	2

Intermediate 73

7	4	5	6	2	3	9	1	8
1	2	8	5	7	9	3	6	4
9	3	6	4	1	8	5	7	2
2	6	7	3	4	1	8	9	5
4	1	9	7	8	5	6	2	3
5	8	3	9	6	2	1	4	7
6	5	2	8	9	7	4	3	1
8	9	1	2	3	4	7	5	6
3	7	4	1	5	6	2	8	9

Intermediate 74

5	7	1	2	8	6	9	3	4
2	9	3	5	7	4	8	1	6
8	6	4	9	3	1	7	2	5
6	4	5	7	1	8	3	9	2
7	2	8	6	9	3	5	4	1
1	3	9	4	5	2	6	7	8
9	1	6	8	4	7	2	5	3
4	8	7	3	2	5	1	6	9
3	5	2	1	6	9	4	8	7

Intermediate 75

8	6	9	7	1	3	5	2	4
2	5	1	6	9	4	8	3	7
3	7	4	8	2	5	1	9	6
5	2	8	3	6	1	4	7	9
1	4	3	5	7	9	6	8	2
6	9	7	2	4	8	3	5	1
4	8	2	9	3	6	7	1	5
9	3	6	1	5	7	2	4	8
7	1	5	4	8	2	9	6	3

Intermediate 76

6	9	5	3	7	1	2	8	4
3	2	1	4	8	9	6	5	7
4	7	8	5	2	6	9	1	3
9	3	2	1	4	7	8	6	5
1	6	7	8	5	2	4	3	9
5	8	4	9	6	3	1	7	2
2	5	9	7	1	8	3	4	6
8	4	6	2	3	5	7	9	1
7	1	3	6	9	4	5	2	8

Intermediate 77

4	5	9	3	6	2	1	8	7
7	8	2	4	1	5	3	9	6
1	6	3	8	9	7	4	5	2
3	1	8	7	4	9	6	2	5
2	4	6	5	3	8	7	1	9
9	7	5	6	2	1	8	3	4
5	9	4	1	7	3	2	6	8
6	2	1	9	8	4	5	7	3
8	3	7	2	5	6	9	4	1

Intermediate 78

5	3	9	8	4	7	2	1	6
6	8	7	1	5	2	4	9	3
1	4	2	6	9	3	7	5	8
9	7	6	4	8	5	3	2	1
8	2	5	3	1	6	9	7	4
4	1	3	2	7	9	8	6	5
3	9	4	5	2	1	6	8	7
7	6	1	9	3	8	5	4	2
2	5	8	7	6	4	1	3	9

Intermediate 79

5	8	2	6	3	9	4	7	1
6	7	9	4	8	1	3	2	5
4	3	1	2	5	7	8	9	6
1	2	6	7	9	8	5	4	3
3	9	4	1	2	5	7	6	8
7	5	8	3	6	4	2	1	9
9	6	7	5	4	3	1	8	2
8	1	5	9	7	2	6	3	4
2	4	3	8	1	6	9	5	7

Intermediate 80

6	3	2	8	7	1	5	9	4
8	9	4	5	6	2	1	3	7
7	1	5	9	3	4	6	2	8
9	2	8	4	1	5	7	6	3
1	5	7	6	9	3	4	8	2
4	6	3	2	8	7	9	5	1
5	8	1	3	4	9	2	7	6
3	4	9	7	2	6	8	1	5
2	7	6	1	5	8	3	4	9

Intermediate 81

1	7	3	6	4	9	2	8	5
6	4	2	5	1	8	7	9	3
5	9	8	7	2	3	4	1	6
8	2	7	3	6	4	9	5	1
4	5	9	1	8	7	6	3	2
3	1	6	9	5	2	8	7	4
7	6	1	4	9	5	3	2	8
9	8	5	2	3	6	1	4	7
2	3	4	8	7	1	5	6	9

Intermediate 82

2	1	8	4	7	3	5	6	9
6	7	3	9	5	2	4	8	1
9	5	4	8	1	6	3	7	2
4	8	9	5	2	7	1	3	6
5	6	1	3	9	8	2	4	7
3	2	7	6	4	1	9	5	8
8	4	6	2	3	9	7	1	5
1	3	2	7	8	5	6	9	4
7	9	5	1	6	4	8	2	3

Intermediate 83

8	4	5	3	2	6	1	7	9
1	6	3	5	7	9	4	8	2
9	2	7	1	4	8	5	3	6
4	5	6	2	1	7	3	9	8
2	1	9	8	5	3	7	6	4
3	7	8	9	6	4	2	5	1
5	9	4	6	3	2	8	1	7
6	3	2	7	8	1	9	4	5
7	8	1	4	9	5	6	2	3

Intermediate 84

7	4	3	5	8	6	1	2	9
1	9	6	4	3	2	5	7	8
5	2	8	7	1	9	6	4	3
2	5	9	8	7	3	4	6	1
6	3	4	9	2	1	7	8	5
8	1	7	6	5	4	3	9	2
9	6	2	3	4	5	8	1	7
4	7	5	1	9	8	2	3	6
3	8	1	2	6	7	9	5	4

Intermediate 85

4	9	1	8	5	2	7	6	3
3	7	5	6	4	1	2	8	9
6	8	2	3	9	7	1	5	4
1	5	9	2	3	4	8	7	6
7	6	8	5	1	9	4	3	2
2	3	4	7	6	8	9	1	5
9	4	6	1	7	5	3	2	8
5	2	7	4	8	3	6	9	1
8	1	3	9	2	6	5	4	7

Intermediate 86

5	8	4	6	3	7	9	1	2
3	7	1	9	2	8	5	6	4
9	6	2	5	4	1	7	3	8
8	9	7	4	1	6	3	2	5
4	1	5	2	8	3	6	7	9
6	2	3	7	5	9	8	4	1
2	3	9	8	7	4	1	5	6
1	5	6	3	9	2	4	8	7
7	4	8	1	6	5	2	9	3

Intermediate 87

8	3	9	1	4	2	7	6	5
4	2	5	7	6	3	1	9	8
6	1	7	9	5	8	2	3	4
1	6	2	3	8	5	9	4	7
3	9	8	2	7	4	6	5	1
5	7	4	6	1	9	3	8	2
7	8	6	4	3	1	5	2	9
2	4	1	5	9	6	8	7	3
9	5	3	8	2	7	4	1	6

Intermediate 88

1	8	3	6	7	5	2	9	4
6	9	7	4	3	2	5	1	8
5	2	4	8	1	9	6	3	7
8	3	1	7	2	6	4	5	9
9	6	5	3	4	1	7	8	2
4	7	2	5	9	8	1	6	3
3	5	6	2	8	7	9	4	1
7	1	8	9	5	4	3	2	6
2	4	9	1	6	3	8	7	5

Intermediate 89

4	1	3	7	5	2	9	6	8
9	6	7	8	3	4	1	5	2
5	8	2	1	6	9	3	4	7
2	7	9	5	4	8	6	3	1
8	4	6	2	1	3	7	9	5
1	3	5	9	7	6	8	2	4
7	9	4	3	8	5	2	1	6
3	5	8	6	2	1	4	7	9
6	2	1	4	9	7	5	8	3

Advanced 1

2	5	9	1	6	3	7	4	8
4	8	3	9	5	7	6	1	2
6	7	1	4	8	2	9	5	3
7	3	6	8	1	4	5	2	9
1	9	8	7	2	5	3	6	4
5	4	2	3	9	6	8	7	1
8	2	7	6	4	9	1	3	5
9	6	4	5	3	1	2	8	7
3	1	5	2	7	8	4	9	6

Advanced 2

1	2	8	6	9	5	7	4	3
9	3	4	8	7	2	5	6	1
6	7	5	3	4	1	9	8	2
2	5	3	1	8	4	6	7	9
7	8	1	9	2	6	3	5	4
4	9	6	5	3	7	2	1	8
3	1	7	2	6	8	4	9	5
8	6	2	4	5	9	1	3	7
5	4	9	7	1	3	8	2	6

Advanced 3

6	5	2	4	1	7	3	9	8
3	9	1	8	2	6	7	4	5
4	8	7	3	9	5	2	6	1
9	1	3	6	7	8	4	5	2
8	4	5	2	3	9	1	7	6
7	2	6	5	4	1	9	8	3
1	7	8	9	6	2	5	3	4
5	3	9	1	8	4	6	2	7
2	6	4	7	5	3	8	1	9

Advanced 4

5	2	8	9	6	7	3	4	1
6	4	7	1	2	3	8	9	5
1	9	3	4	8	5	7	6	2
9	8	1	2	3	4	5	7	6
3	5	4	6	7	1	2	8	9
7	6	2	5	9	8	1	3	4
4	7	5	8	1	6	9	2	3
8	1	9	3	4	2	6	5	7
2	3	6	7	5	9	4	1	8

Advanced 5

6	8	7	9	5	3	1	2	4
2	5	1	8	4	6	9	7	3
3	9	4	2	7	1	8	6	5
8	6	5	1	2	4	7	3	9
4	1	2	3	9	7	5	8	6
7	3	9	6	8	5	4	1	2
1	7	3	4	6	9	2	5	8
9	2	6	5	1	8	3	4	7
5	4	8	7	3	2	6	9	1

Advanced 6

5	3	8	1	2	7	6	9	4
1	6	7	9	4	3	2	5	8
4	2	9	8	6	5	3	1	7
8	7	4	3	5	6	1	2	9
6	9	5	7	1	2	8	4	3
2	1	3	4	8	9	7	6	5
3	5	1	6	7	4	9	8	2
7	8	2	5	9	1	4	3	6
9	4	6	2	3	8	5	7	1

Advanced 7

7	1	2	3	5	4	6	8	9
3	6	4	8	7	9	1	2	5
8	5	9	2	6	1	3	4	7
1	9	8	6	4	2	7	5	3
5	2	7	1	9	3	4	6	8
6	4	3	5	8	7	2	9	1
2	7	5	4	1	8	9	3	6
4	8	1	9	3	6	5	7	2
9	3	6	7	2	5	8	1	4

Advanced 8

4	8	6	9	7	2	5	1	3
1	9	7	5	3	6	8	4	2
2	5	3	8	4	1	7	6	9
6	1	8	7	5	3	2	9	4
7	3	2	4	6	9	1	8	5
9	4	5	2	1	8	3	7	6
3	7	9	6	8	5	4	2	1
5	6	4	1	2	7	9	3	8
8	2	1	3	9	4	6	5	7

Advanced 9

1	3	7	8	5	6	9	4	2
6	5	4	1	9	2	8	3	7
2	8	9	4	7	3	6	5	1
4	6	1	5	3	9	2	7	8
5	9	3	2	8	7	1	6	4
8	7	2	6	1	4	5	9	3
7	1	8	9	4	5	3	2	6
3	2	5	7	6	8	4	1	9
9	4	6	3	2	1	7	8	5

Advanced 10

4	9	5	3	8	2	7	6	1
6	2	8	1	5	7	3	9	4
7	1	3	9	4	6	5	2	8
5	3	6	7	1	9	8	4	2
1	7	9	8	2	4	6	5	3
2	8	4	6	3	5	9	1	7
8	5	7	2	6	1	4	3	9
9	6	2	4	7	3	1	8	5
3	4	1	5	9	8	2	7	6

Advanced 11

2	3	4	9	6	1	8	5	7
5	8	1	3	4	7	9	6	2
9	6	7	5	2	8	4	1	3
7	2	3	1	5	9	6	8	4
4	1	5	8	7	6	3	2	9
8	9	6	4	3	2	5	7	1
3	7	8	2	9	5	1	4	6
1	4	2	6	8	3	7	9	5
6	5	9	7	1	4	2	3	8

Advanced 12

1	2	3	8	4	9	7	5	6
7	5	4	6	3	2	8	1	9
9	8	6	7	1	5	4	2	3
5	3	2	4	7	8	9	6	1
4	9	8	2	6	1	5	3	7
6	7	1	5	9	3	2	8	4
3	4	5	9	2	6	1	7	8
8	1	7	3	5	4	6	9	2
2	6	9	1	8	7	3	4	5

Advanced 13

6	4	3	2	8	1	7	9	5
2	5	1	9	7	4	8	6	3
7	8	9	5	6	3	4	1	2
3	2	8	7	4	9	1	5	6
1	7	4	6	3	5	9	2	8
5	9	6	8	1	2	3	4	7
9	3	2	4	5	7	6	8	1
4	6	7	1	2	8	5	3	9
8	1	5	3	9	6	2	7	4

Advanced 14

6	5	1	7	2	3	4	9	8
7	8	2	6	9	4	5	1	3
9	4	3	5	1	8	2	6	7
2	6	7	3	5	1	8	4	9
1	9	5	4	8	7	3	2	6
8	3	4	2	6	9	7	5	1
3	1	6	8	4	2	9	7	5
5	2	8	9	7	6	1	3	4
4	7	9	1	3	5	6	8	2

Advanced 15

8	1	5	7	9	3	2	6	4
9	3	7	6	2	4	8	5	1
4	2	6	1	8	5	3	9	7
6	9	1	3	4	7	5	2	8
5	7	4	8	6	2	9	1	3
2	8	3	9	5	1	4	7	6
1	4	8	2	7	9	6	3	5
3	5	2	4	1	6	7	8	9
7	6	9	5	3	8	1	4	2

Advanced 16

6	3	9	5	2	7	4	8	1
2	5	8	1	4	6	9	7	3
4	7	1	9	8	3	6	2	5
8	2	4	3	7	5	1	9	6
1	9	7	4	6	8	5	3	2
5	6	3	2	1	9	8	4	7
3	1	6	8	9	2	7	5	4
9	4	2	7	5	1	3	6	8
7	8	5	6	3	4	2	1	9

Advanced 17

9	1	2	7	3	5	4	6	8
3	4	5	6	8	1	7	2	9
7	8	6	2	4	9	1	3	5
2	9	1	5	6	3	8	7	4
5	6	8	4	9	7	2	1	3
4	7	3	1	2	8	9	5	6
8	3	7	9	1	6	5	4	2
6	5	4	8	7	2	3	9	1
1	2	9	3	5	4	6	8	7

Advanced 18

8	2	5	6	4	1	3	7	9
1	7	9	3	2	8	6	4	5
4	3	6	5	9	7	1	2	8
3	6	4	1	5	2	9	8	7
2	9	1	7	8	6	4	5	3
7	5	8	4	3	9	2	1	6
6	8	7	2	1	3	5	9	4
5	1	3	9	7	4	8	6	2
9	4	2	8	6	5	7	3	1

Advanced 19

3	9	7	2	1	5	4	6	8
2	6	5	8	4	9	7	3	1
4	1	8	7	3	6	9	5	2
8	5	6	4	9	3	2	1	7
1	4	2	5	7	8	6	9	3
9	7	3	6	2	1	5	8	4
5	3	4	1	6	2	8	7	9
7	8	9	3	5	4	1	2	6
6	2	1	9	8	7	3	4	5

Advanced 20

7	4	8	2	1	9	6	5	3
3	5	1	7	8	6	2	4	9
2	6	9	5	4	3	8	7	1
4	9	7	8	6	1	3	2	5
6	1	3	9	5	2	4	8	7
5	8	2	4	3	7	1	9	6
9	3	5	6	2	4	7	1	8
8	2	6	1	7	5	9	3	4
1	7	4	3	9	8	5	6	2

Advanced 21

2	3	9	8	1	5	6	4	7
4	5	7	6	9	2	3	1	8
6	8	1	7	3	4	5	2	9
5	1	2	4	7	6	9	8	3
7	4	8	3	5	9	1	6	2
3	9	6	2	8	1	4	7	5
8	6	4	9	2	3	7	5	1
1	7	3	5	6	8	2	9	4
9	2	5	1	4	7	8	3	6

Advanced 22

2	1	8	9	7	5	6	3	4
6	5	9	4	3	8	2	7	1
3	7	4	6	2	1	5	9	8
9	4	2	8	1	6	7	5	3
5	3	6	7	9	4	1	8	2
7	8	1	2	5	3	9	4	6
8	6	7	1	4	9	3	2	5
1	2	5	3	8	7	4	6	9
4	9	3	5	6	2	8	1	7

Advanced 23

1	2	7	6	8	5	4	3	9
5	3	6	9	4	2	7	1	8
4	9	8	7	3	1	2	6	5
3	8	1	5	2	6	9	4	7
7	4	5	3	1	9	6	8	2
9	6	2	4	7	8	1	5	3
8	7	4	1	9	3	5	2	6
6	1	3	2	5	7	8	9	4
2	5	9	8	6	4	3	7	1

Advanced 24

3	2	9	4	7	5	8	6	1
1	6	5	8	3	9	7	2	4
7	8	4	6	1	2	5	9	3
6	9	3	2	8	7	1	4	5
2	5	8	3	4	1	6	7	9
4	7	1	5	9	6	2	3	8
8	3	7	1	2	4	9	5	6
5	1	2	9	6	3	4	8	7
9	4	6	7	5	8	3	1	2

Advanced 25

1	2	9	6	3	7	8	5	4
8	7	3	2	5	4	1	6	9
5	4	6	8	9	1	3	7	2
9	1	5	7	8	2	4	3	6
7	6	2	3	4	5	9	8	1
4	3	8	1	6	9	5	2	7
2	9	7	5	1	3	6	4	8
6	5	1	4	2	8	7	9	3
3	8	4	9	7	6	2	1	5

Advanced 26

1	4	2	7	5	3	9	8	6
6	7	3	9	4	8	5	1	2
8	5	9	6	1	2	3	4	7
4	2	1	3	9	5	7	6	8
7	9	5	4	8	6	2	3	1
3	6	8	2	7	1	4	9	5
5	3	6	8	2	4	1	7	9
9	1	4	5	6	7	8	2	3
2	8	7	1	3	9	6	5	4

Advanced 27

6	8	5	2	9	7	3	1	4
1	2	3	4	5	8	7	9	6
4	9	7	3	6	1	2	8	5
9	4	1	7	8	5	6	3	2
3	6	2	1	4	9	8	5	7
5	7	8	6	2	3	9	4	1
2	5	9	8	1	6	4	7	3
7	1	6	9	3	4	5	2	8
8	3	4	5	7	2	1	6	9

Advanced 28

8	7	4	6	5	3	1	2	9
2	6	9	1	4	7	5	8	3
3	5	1	8	9	2	6	4	7
1	4	6	5	2	9	7	3	8
9	3	7	4	8	6	2	5	1
5	8	2	3	7	1	9	6	4
4	9	3	2	1	5	8	7	6
6	1	5	7	3	8	4	9	2
7	2	8	9	6	4	3	1	5

Advanced 29

1	2	3	6	9	4	8	5	7
7	4	8	1	3	5	2	6	9
6	5	9	7	8	2	1	4	3
5	6	2	9	7	1	4	3	8
9	3	7	4	5	8	6	2	1
4	8	1	3	2	6	9	7	5
3	7	6	2	1	9	5	8	4
8	1	4	5	6	7	3	9	2
2	9	5	8	4	3	7	1	6

Advanced 30

3	7	6	4	2	5	1	9	8
2	4	9	8	6	1	5	7	3
8	1	5	3	7	9	4	6	2
5	6	3	7	1	2	8	4	9
9	8	7	6	5	4	3	2	1
1	2	4	9	3	8	6	5	7
4	9	2	1	8	6	7	3	5
7	5	8	2	4	3	9	1	6
6	3	1	5	9	7	2	8	4

Advanced 31

7	9	4	2	6	5	3	1	8
3	1	2	8	7	4	6	9	5
5	6	8	1	9	3	2	4	7
4	8	1	5	3	2	9	7	6
2	7	6	9	4	8	5	3	1
9	3	5	7	1	6	4	8	2
6	4	7	3	5	1	8	2	9
8	5	9	4	2	7	1	6	3
1	2	3	6	8	9	7	5	4

Advanced 32

4	6	8	3	2	9	1	7	5
2	1	5	8	7	6	4	3	9
3	9	7	1	4	5	8	2	6
8	7	4	9	6	2	3	5	1
5	3	6	4	1	8	2	9	7
9	2	1	5	3	7	6	8	4
6	5	3	7	8	4	9	1	2
7	8	2	6	9	1	5	4	3
1	4	9	2	5	3	7	6	8

Advanced 33

2	8	4	5	7	9	1	6	3
5	9	1	3	2	6	7	8	4
7	6	3	1	4	8	2	5	9
4	3	9	6	8	7	5	1	2
1	7	2	4	9	5	8	3	6
6	5	8	2	3	1	9	4	7
3	1	5	7	6	2	4	9	8
9	2	6	8	5	4	3	7	1
8	4	7	9	1	3	6	2	5

Advanced 34

1	3	5	8	4	6	2	7	9
4	2	7	9	5	1	6	3	8
6	8	9	2	7	3	1	4	5
9	5	4	6	2	7	3	8	1
2	6	8	3	1	9	4	5	7
7	1	3	5	8	4	9	6	2
3	4	2	7	9	8	5	1	6
5	7	6	1	3	2	8	9	4
8	9	1	4	6	5	7	2	3

Advanced 35

6	3	4	5	1	2	9	8	7
9	2	5	7	8	3	4	1	6
8	7	1	9	6	4	5	2	3
1	6	3	2	5	7	8	4	9
2	4	7	6	9	8	3	5	1
5	9	8	3	4	1	6	7	2
4	8	6	1	2	9	7	3	5
7	5	2	8	3	6	1	9	4
3	1	9	4	7	5	2	6	8

Advanced 36

7	6	8	3	5	2	4	9	1
4	5	2	1	7	9	3	8	6
9	1	3	4	8	6	7	2	5
5	7	6	9	4	1	8	3	2
3	4	9	5	2	8	6	1	7
8	2	1	7	6	3	9	5	4
6	9	5	2	3	7	1	4	8
1	8	4	6	9	5	2	7	3
2	3	7	8	1	4	5	6	9

Advanced 37

9	5	2	8	6	1	7	4	3
3	7	4	5	2	9	6	8	1
6	8	1	3	7	4	5	9	2
2	3	7	4	9	5	1	6	8
1	6	9	2	3	8	4	7	5
5	4	8	7	1	6	3	2	9
8	2	3	6	5	7	9	1	4
4	9	6	1	8	3	2	5	7
7	1	5	9	4	2	8	3	6

Advanced 38

9	6	2	8	7	4	3	1	5
8	4	1	2	3	5	6	9	7
3	7	5	1	6	9	4	8	2
6	1	9	7	2	8	5	3	4
7	5	8	9	4	3	2	6	1
2	3	4	6	5	1	8	7	9
1	2	3	5	8	7	9	4	6
4	9	6	3	1	2	7	5	8
5	8	7	4	9	6	1	2	3

Advanced 39

3	8	5	4	6	7	2	9	1
1	4	2	9	3	8	6	5	7
6	9	7	1	5	2	4	3	8
7	3	8	6	9	5	1	4	2
5	2	9	8	1	4	3	7	6
4	6	1	2	7	3	5	8	9
2	7	6	5	4	9	8	1	3
8	5	3	7	2	1	9	6	4
9	1	4	3	8	6	7	2	5

Advanced 40

8	3	1	6	7	9	2	5	4
7	4	2	8	5	3	6	9	1
5	9	6	2	1	4	7	8	3
1	2	5	9	3	7	4	6	8
9	6	4	5	8	1	3	7	2
3	7	8	4	6	2	5	1	9
6	5	3	1	4	8	9	2	7
2	8	7	3	9	5	1	4	6
4	1	9	7	2	6	8	3	5

Advanced 41

1	4	7	6	3	9	5	2	8
9	8	3	1	2	5	6	7	4
2	6	5	8	4	7	1	9	3
7	1	2	3	6	4	8	5	9
8	3	4	5	9	1	2	6	7
5	9	6	7	8	2	3	4	1
4	5	9	2	1	3	7	8	6
3	7	8	9	5	6	4	1	2
6	2	1	4	7	8	9	3	5

Advanced 42

6	5	2	7	9	4	8	1	3
4	7	8	3	2	1	9	6	5
1	9	3	8	6	5	4	2	7
7	4	9	2	8	6	3	5	1
8	3	1	5	7	9	2	4	6
5	2	6	4	1	3	7	9	8
2	1	4	6	3	7	5	8	9
3	6	5	9	4	8	1	7	2
9	8	7	1	5	2	6	3	4

Advanced 43

5	9	6	2	3	8	7	4	1
8	1	3	6	4	7	2	9	5
7	2	4	1	9	5	3	8	6
3	8	5	9	2	6	1	7	4
1	6	9	7	5	4	8	3	2
2	4	7	3	8	1	6	5	9
4	5	2	8	1	3	9	6	7
6	3	1	4	7	9	5	2	8
9	7	8	5	6	2	4	1	3

Advanced 44

1	2	4	3	8	7	6	5	9
9	6	3	5	1	4	8	2	7
8	7	5	2	6	9	4	1	3
6	4	8	7	5	3	1	9	2
7	3	2	4	9	1	5	8	6
5	1	9	6	2	8	3	7	4
3	9	7	1	4	5	2	6	8
4	5	6	8	7	2	9	3	1
2	8	1	9	3	6	7	4	5

Advanced 45

7	8	5	6	9	2	4	3	1
6	4	3	8	1	7	9	2	5
9	2	1	5	3	4	8	6	7
5	9	8	1	6	3	2	7	4
2	3	7	4	5	8	1	9	6
4	1	6	7	2	9	5	8	3
8	5	9	3	4	6	7	1	2
3	7	4	2	8	1	6	5	9
1	6	2	9	7	5	3	4	8

Advanced 46

3	5	2	7	6	4	1	9	8
7	1	9	3	5	8	2	4	6
8	6	4	1	2	9	7	3	5
1	2	8	6	3	7	4	5	9
6	4	3	9	1	5	8	7	2
5	9	7	8	4	2	3	6	1
9	3	6	2	7	1	5	8	4
2	7	5	4	8	6	9	1	3
4	8	1	5	9	3	6	2	7

Advanced 47

9	5	8	6	3	1	7	2	4
6	7	1	2	4	8	9	5	3
2	3	4	5	9	7	6	8	1
5	6	7	8	1	4	3	9	2
8	9	3	7	6	2	4	1	5
4	1	2	3	5	9	8	7	6
3	2	9	1	8	6	5	4	7
1	8	5	4	7	3	2	6	9
7	4	6	9	2	5	1	3	8

Advanced 48

3	9	2	6	5	1	4	7	8
7	5	6	4	3	8	9	1	2
4	8	1	2	9	7	5	6	3
2	3	9	5	8	6	1	4	7
8	1	4	9	7	2	6	3	5
6	7	5	1	4	3	2	8	9
1	6	8	3	2	5	7	9	4
5	4	3	7	6	9	8	2	1
9	2	7	8	1	4	3	5	6

Advanced 49

4	6	8	2	9	3	1	5	7
1	2	9	7	5	4	6	8	3
7	5	3	8	6	1	4	9	2
8	7	1	5	4	9	2	3	6
3	4	5	6	7	2	8	1	9
2	9	6	3	1	8	7	4	5
9	8	7	1	2	5	3	6	4
5	3	2	4	8	6	9	7	1
6	1	4	9	3	7	5	2	8

Advanced 50

6	7	8	4	3	2	5	9	1
5	3	1	9	8	7	2	6	4
9	2	4	1	6	5	8	3	7
8	1	2	3	4	6	9	7	5
3	9	6	7	5	1	4	2	8
4	5	7	2	9	8	6	1	3
1	4	9	8	2	3	7	5	6
2	6	3	5	7	4	1	8	9
7	8	5	6	1	9	3	4	2

Advanced 51

7	3	2	5	4	9	6	1	8
1	6	5	3	7	8	9	4	2
4	8	9	6	1	2	7	3	5
6	5	7	1	9	3	2	8	4
3	9	1	8	2	4	5	7	6
8	2	4	7	6	5	3	9	1
9	4	8	2	5	7	1	6	3
2	7	6	4	3	1	8	5	9
5	1	3	9	8	6	4	2	7

Advanced 52

9	2	5	3	8	6	4	1	7
8	4	6	1	7	9	5	3	2
1	7	3	4	2	5	8	9	6
5	1	8	7	6	4	9	2	3
6	3	2	5	9	8	1	7	4
4	9	7	2	3	1	6	8	5
2	8	1	6	5	7	3	4	9
7	6	9	8	4	3	2	5	1
3	5	4	9	1	2	7	6	8

Advanced 53

6	8	9	3	4	7	1	5	2
7	3	2	9	1	5	8	6	4
5	1	4	2	8	6	9	7	3
3	2	1	5	9	8	7	4	6
4	5	6	1	7	3	2	8	9
9	7	8	4	6	2	5	3	1
1	6	5	7	3	9	4	2	8
8	4	7	6	2	1	3	9	5
2	9	3	8	5	4	6	1	7

Advanced 54

6	1	7	2	8	5	3	4	9
3	9	4	6	7	1	8	5	2
8	5	2	9	4	3	1	7	6
5	3	9	1	2	7	4	6	8
1	4	8	3	9	6	5	2	7
7	2	6	8	5	4	9	1	3
9	6	3	5	1	2	7	8	4
4	8	5	7	6	9	2	3	1
2	7	1	4	3	8	6	9	5

Advanced 55

3	1	2	7	6	8	5	9	4
7	8	5	4	2	9	3	6	1
9	6	4	1	3	5	8	7	2
2	7	8	5	4	3	9	1	6
5	3	1	2	9	6	7	4	8
4	9	6	8	7	1	2	3	5
8	4	3	6	5	7	1	2	9
6	5	7	9	1	2	4	8	3
1	2	9	3	8	4	6	5	7

Advanced 56

1	6	7	3	4	5	9	8	2
5	2	8	9	6	1	3	4	7
4	9	3	7	2	8	5	1	6
6	4	1	5	8	3	7	2	9
8	3	5	2	9	7	4	6	1
9	7	2	6	1	4	8	5	3
3	8	4	1	7	2	6	9	5
2	5	6	8	3	9	1	7	4
7	1	9	4	5	6	2	3	8

Advanced 57

7	3	8	4	5	1	6	2	9
9	6	5	3	2	7	4	8	1
1	2	4	8	9	6	5	7	3
2	7	1	9	6	8	3	4	5
4	5	9	7	3	2	1	6	8
6	8	3	1	4	5	2	9	7
3	9	6	5	8	4	7	1	2
5	1	2	6	7	9	8	3	4
8	4	7	2	1	3	9	5	6

Advanced 58

7	1	4	2	8	6	9	5	3
8	9	2	4	5	3	1	6	7
5	6	3	1	7	9	4	2	8
4	8	6	5	3	7	2	1	9
9	7	5	6	1	2	8	3	4
3	2	1	9	4	8	6	7	5
2	5	8	3	9	1	7	4	6
1	3	9	7	6	4	5	8	2
6	4	7	8	2	5	3	9	1

Advanced 59

5	6	8	2	4	9	3	1	7
3	1	2	7	5	6	9	8	4
9	7	4	3	8	1	6	5	2
1	2	6	4	9	5	7	3	8
8	4	3	1	7	2	5	9	6
7	5	9	6	3	8	2	4	1
4	3	1	9	6	7	8	2	5
6	9	5	8	2	4	1	7	3
2	8	7	5	1	3	4	6	9

Advanced 60

5	4	7	2	9	6	3	8	1
6	3	9	5	1	8	7	4	2
8	2	1	3	4	7	5	9	6
1	5	6	8	3	4	2	7	9
4	1	8	9	2	5	6	3	7
2	7	3	1	5	9	4	6	8
9	8	4	6	7	2	1	5	3
7	9	2	4	6	3	8	1	5
3	6	5	7	8	1	9	2	4

Advanced 61

6	7	2	8	5	9	1	3	4
8	3	5	6	4	1	2	9	7
1	9	4	3	2	7	5	8	6
4	5	9	1	8	6	3	7	2
2	8	6	5	7	3	9	4	1
3	1	7	4	9	2	8	6	5
7	6	3	9	1	5	4	2	8
9	4	1	2	6	8	7	5	3
5	2	8	7	3	4	6	1	9

Advanced 62

9	3	4	2	1	7	6	5	8
1	6	5	9	8	3	7	2	4
2	8	7	6	5	4	1	3	9
3	2	9	4	7	1	5	8	6
8	4	1	5	2	6	3	9	7
7	5	6	3	9	8	2	4	1
5	7	3	1	4	9	8	6	2
4	1	2	8	6	5	9	7	3
6	9	8	7	3	2	4	1	5

Advanced 63

3	6	8	2	1	5	4	7	9
7	5	9	4	3	8	1	6	2
4	1	2	6	9	7	5	8	3
2	3	4	5	7	6	9	1	8
5	9	6	3	8	1	7	2	4
8	7	1	9	4	2	6	3	5
9	8	7	1	2	4	3	5	6
1	4	5	8	6	3	2	9	7
6	2	3	7	5	9	8	4	1

Variation 1

4	2	6	1	7	3	8	5	9
1	3	5	9	4	8	6	7	2
8	7	9	5	6	2	1	3	4
6	1	2	4	3	9	5	8	7
5	8	3	7	2	1	9	4	6
9	4	7	6	8	5	2	1	3
3	6	1	8	9	7	4	2	5
2	5	4	3	6	1	7	9	8
7	9	8	2	5	4	3	6	1

Variation 2

4	5	6	7	2	9	8	3	1
7	8	1	6	4	3	9	5	2
2	3	9	1	5	8	4	7	6
9	1	3	2	8	5	6	4	7
6	7	5	3	1	4	2	9	8
8	4	2	9	6	7	5	1	3
3	6	7	4	9	2	1	8	5
1	9	8	5	7	6	3	2	4
5	2	4	8	3	1	7	6	9

Variation 3

1	9	3	7	8	5	4	2	6
5	7	6	4	2	1	9	8	3
2	8	4	3	9	6	7	1	5
3	1	9	8	6	7	2	5	4
7	2	5	9	1	4	6	3	8
4	6	8	2	5	3	1	9	7
9	3	7	1	4	8	5	6	2
6	4	2	5	3	9	8	7	1
8	5	1	6	7	2	3	4	9

Variation 4

3	7	4	6	9	8	2	5	1
2	9	5	1	4	7	6	3	8
6	1	8	5	3	2	4	9	7
9	8	2	4	1	3	5	7	6
4	5	1	2	7	6	9	8	3
7	3	6	8	5	9	1	4	2
8	4	9	3	2	1	7	6	5
1	6	7	9	8	5	3	2	4
5	2	3	7	6	4	8	1	9

Variation 5

1	4	7	3	8	9	2	6	5
8	9	6	1	2	5	4	7	3
2	3	5	4	6	7	1	8	9
4	1	2	7	9	3	6	5	8
5	7	3	8	1	6	9	2	4
9	6	8	5	4	2	3	1	7
3	2	1	9	7	8	5	4	6
6	8	9	2	5	4	7	3	1
7	5	4	6	3	1	8	9	2

Variation 6

5	4	6	8	9	2	1	3	7			
3	1	9	6	7	5	4	2	8			
2	8	7	1	4	3	6	5	9			
9	5	8	7	3	1	2	4	6	5	9	8
4	6	1	2	5	9	7	8	3	1	6	4
7	2	3	4	8	6	9	1	5	2	3	7
6	7	4	5	1	8	3	9	2	4	7	6
8	9	2	3	6	4	5	7	1	8	2	9
1	3	5	9	2	7	8	6	4	3	1	5
			6	4	2	1	5	7	9	8	3
			1	9	5	6	3	8	7	4	2
			8	7	3	4	2	9	6	5	1

Variation 7

4	9	1	3	5	2	8	6	7			
7	8	3	6	1	9	5	2	4			
6	5	2	4	7	8	9	1	3			
8	4	9	5	2	6	3	7	1	8	4	9
2	1	6	7	9	3	4	5	8	2	1	6
3	7	5	8	4	1	6	9	2	5	7	3
9	6	4	1	3	7	2	8	5	9	6	4
5	2	7	9	8	4	1	3	6	7	2	5
1	3	8	2	6	5	7	4	9	1	3	8
			4	5	2	8	1	3	6	9	7
			3	1	9	5	6	7	4	8	2
			6	7	8	9	2	4	3	5	1

Variation 8

8	1	5	4	7	6	3	2	9						
9	6	7	2	1	3	5	8	4						
2	4	3	8	5	9	7	6	1						
7	2	4	3	9	5	6	1	8						
5	9	8	1	6	2	4	3	7						
6	3	1	7	4	8	9	5	2						
3	7	9	5	8	1	2	4	6	9	3	5	8	1	7
1	5	6	9	2	4	8	7	3	4	1	6	2	5	9
4	8	2	6	3	7	1	9	5	7	2	8	3	4	6
						6	3	2	1	9	4	7	8	5
						5	1	4	2	8	7	9	6	3
						7	8	9	5	6	3	4	2	1
						4	2	1	6	7	9	5	3	8
						3	5	7	8	4	1	6	9	2
						9	6	8	3	5	2	1	7	4

Variation 9

1	3	4	7	5	9	2	8	6			
7	6	5	8	1	2	9	3	4			
8	9	2	6	4	3	7	5	1			
2	5	1	4	9	8	6	7	3			
6	4	7	1	3	5	8	2	9			
3	8	9	2	6	7	1	4	5			
5	1	8	3	7	6	4	9	2	1	8	5
9	2	6	5	8	4	3	1	7	6	2	9
4	7	3	9	2	1	5	6	8	4	7	3
			2	6	5	1	8	9	7	3	4
			1	9	3	7	2	4	5	6	8
			8	4	7	6	3	5	9	1	2
			4	5	8	2	7	6	3	9	1
			7	1	2	9	5	3	8	4	6
			6	3	9	8	4	1	2	5	7

Variation 10

9	7	2	3	4	6	8	5	1						
4	8	6	7	1	5	2	3	9						
3	5	1	8	2	9	6	4	7						
1	4	7	9	6	2	3	8	5						
2	3	5	1	7	8	4	9	6						
6	9	8	4	5	3	7	1	2						
8	2	3	6	9	1	5	7	4	3	6	8	1	2	9
5	1	4	2	3	7	9	6	8	5	2	1	4	7	3
7	6	9	5	8	4	1	2	3	7	4	9	6	8	5
						6	8	2	1	5	3	7	9	4
						7	1	9	6	8	4	3	5	2
						4	3	5	9	7	2	8	6	1
1	6	5	2	3	4	8	9	7	4	1	5	2	3	6
4	3	7	6	8	9	2	5	1	8	3	6	9	4	7
8	2	9	7	5	1	3	4	6	2	9	7	5	1	8
7	8	1	9	2	5	4	6	3						
2	5	6	1	4	3	7	8	9						
3	9	4	8	6	7	5	1	2						
5	4	2	3	9	6	1	7	8						
9	1	8	4	7	2	6	3	5						
6	7	3	5	1	8	9	2	4						

Variation 11

6	7	8	2	3	1	5	4	9			
3	5	1	8	9	4	6	2	7			
4	9	2	6	5	7	8	3	1			
2	1	4	5	6	8	7	9	3			
9	8	6	3	7	2	1	5	4			
5	3	7	4	1	9	2	6	8			
7	4	9	1	2	5	3	8	6	9	4	7
8	2	3	7	4	6	9	1	5	2	3	8
1	6	5	9	8	3	4	7	2	1	6	5
			5	7	2	8	9	4	3	1	6
			6	3	4	7	2	1	5	8	9
			8	1	9	6	5	3	7	2	4
2	7	4	3	5	8	1	6	9	4	7	2
8	3	9	2	6	1	5	4	7	8	9	3
5	1	6	4	9	7	2	3	8	6	5	1
9	5	3	8	7	4	6	1	2			
4	8	1	6	3	2	7	9	5			
6	2	7	5	1	9	4	8	3			
3	9	5	7	4	6	8	2	1			
7	6	2	1	8	3	9	5	4			
1	4	8	9	2	5	3	7	6			

Variation 12

						2	9	3	6	8	4	5	1	7						
						5	1	8	9	2	7	6	4	3						
						4	6	7	3	1	5	2	9	8						
						6	5	4	1	7	3	8	2	9						
						1	7	2	5	9	8	3	6	4						
						3	8	9	2	4	6	1	7	5						
1	9	5	8	3	2	7	4	6	8	5	2	9	3	1	6	4	2	5	7	8
3	8	4	6	1	7	9	2	5	4	3	1	7	8	6	3	5	9	1	4	2
6	2	7	4	5	9	8	3	1	7	6	9	4	5	2	1	7	8	6	3	9
9	4	8	5	6	1	3	7	2				3	6	9	4	8	1	2	5	7
2	6	3	7	9	8	1	5	4				5	4	7	9	2	6	8	1	3
7	5	1	3	2	4	6	8	9				1	2	8	7	3	5	9	6	4
8	7	6	9	4	5	2	1	3	6	7	5	8	9	4	5	1	3	7	2	6
4	1	9	2	8	3	5	6	7	4	8	9	2	1	3	8	6	7	4	9	5
5	3	2	1	7	6	4	9	8	2	3	1	6	7	5	2	9	4	3	8	1
						7	5	6	3	9	4	1	2	8						
						3	8	9	5	1	2	4	6	7						
						1	2	4	7	6	8	5	3	9						
						6	3	5	1	4	7	9	8	2						
						9	4	1	8	2	3	7	5	6						
						8	7	2	9	5	6	3	4	1						

Variation 13

8	6	5	2	4	7	1	3	9						
4	9	1	3	6	8	2	5	7						
2	7	3	5	9	1	6	4	8						
9	3	4	6	7	5	8	2	1						
6	1	7	8	3	2	4	9	5						
5	2	8	9	1	4	3	7	6						
3	4	9	7	8	6	5	1	2	6	9	7	4	3	8
1	8	2	4	5	9	7	6	3	8	4	5	1	9	2
7	5	6	1	2	3	9	8	4	3	2	1	6	7	5
						8	7	9	1	3	6	5	2	4
						1	2	5	4	7	8	3	6	9
						4	3	6	9	5	2	7	8	1
						2	4	7	5	8	3	9	1	6
						3	9	1	2	6	4	8	5	7
						6	5	8	7	1	9	2	4	3

Variation 14

9	1	7	3	6	5	8	2	4						
2	6	5	9	4	8	3	1	7						
3	8	4	7	2	1	6	5	9						
7	4	8	5	3	2	9	6	1						
1	2	3	6	9	7	5	4	8						
6	5	9	8	1	4	2	7	3						
4	9	1	2	5	3	7	8	6	2	4	9	1	3	5
5	7	6	4	8	9	1	3	2	5	8	6	7	9	4
8	3	2	1	7	6	4	9	5	7	3	1	8	6	2
						8	5	7	4	6	3	9	2	1
						6	1	9	8	2	7	5	4	3
						2	4	3	9	1	5	6	7	8
3	8	4	6	7	9	5	2	1	6	7	4	3	8	9
7	1	9	8	2	5	3	6	4	1	9	8	2	5	7
6	2	5	3	1	4	9	7	8	3	5	2	4	1	6
2	9	8	1	6	7	4	5	3						
4	7	6	5	3	8	1	9	2						
1	5	3	9	4	2	7	8	6						
9	4	2	7	8	1	6	3	5						
8	3	7	4	5	6	2	1	9						
5	6	1	2	9	3	8	4	7						

Variation 15

2	8	5	1	9	4	6	3	7						
3	9	1	6	8	7	4	5	2						
7	4	6	3	2	5	9	8	1						
4	3	8	9	5	1	7	2	6						
6	7	9	2	4	8	5	1	3						
1	5	2	7	6	3	8	4	9						
5	1	3	4	7	9	2	6	8	4	9	5	7	1	3
8	6	7	5	1	2	3	9	4	1	8	7	5	2	6
9	2	4	8	3	6	1	7	5	3	2	6	8	4	9
						8	2	6	9	4	3	1	5	7
						4	3	7	2	5	1	6	9	8
						9	5	1	7	6	8	2	3	4
4	2	5	3	8	6	7	1	9	8	3	2	4	6	5
3	8	1	7	5	9	6	4	2	5	7	9	3	8	1
7	9	6	1	2	4	5	8	3	6	1	4	9	7	2
8	3	2	9	4	5	1	6	7						
5	6	7	2	3	1	4	9	8						
1	4	9	6	7	8	3	2	5						
9	5	8	4	1	7	2	3	6						
6	1	3	5	9	2	8	7	4						
2	7	4	8	6	3	9	5	1						

Variation 16

3	2	6	4	1	5	7	8	9
2	6	3	1	8	7	9	5	4
9	8	7	2	3	6	5	4	1
5	7	9	8	4	3	1	2	6
4	5	8	6	9	1	2	7	3
1	3	2	5	7	4	6	9	8
6	9	1	7	2	8	4	3	5
8	1	4	9	5	2	3	6	7
7	4	5	3	6	9	8	1	2

Variation 17

1	2	6	9	3	8	5	4	7
7	5	8	1	6	3	4	2	9
8	7	3	5	4	9	6	1	2
9	4	7	8	5	2	3	6	1
2	6	9	4	1	7	8	3	5
3	1	5	2	8	6	7	9	4
5	8	4	3	2	1	9	7	6
4	9	1	6	7	5	2	8	3
6	3	2	7	9	4	1	5	8

Variation 18

9	7	2	5	4	6	8	1	3
5	8	6	1	3	9	7	4	2
4	5	3	7	2	8	9	6	1
2	4	1	3	8	7	6	5	9
7	1	8	9	6	5	2	3	4
6	3	9	2	1	4	5	8	7
8	2	5	4	7	1	3	9	6
3	9	4	6	5	2	1	7	8
1	6	7	8	9	3	4	2	5

Variation 19

4	5	9	3	6	8	1	7	2
8	2	7	1	5	4	6	3	9
6	3	1	9	2	7	4	8	5
9	4	2	8	3	5	7	6	1
5	6	4	2	7	1	3	9	8
7	1	3	6	8	9	5	2	4
2	7	8	4	1	6	9	5	3
3	9	6	5	4	2	8	1	7
1	8	5	7	9	3	2	4	6

Variation 20

8	7	2	3	5	6	1	9	4
6	2	9	4	8	1	7	3	5
9	1	6	2	4	3	5	7	8
3	4	5	7	1	9	8	2	6
5	8	7	6	2	4	9	1	3
4	9	1	8	3	5	2	6	7
2	5	3	9	6	7	4	8	1
7	3	4	1	9	8	6	5	2
1	6	8	5	7	2	3	4	9

Variation 21

8	4	5	3	6	1	9	7	2
1	9	6	7	2	8	3	4	5
5	3	2	9	7	4	8	1	6
9	5	1	4	3	7	2	6	8
4	6	3	2	8	5	1	9	7
7	2	8	6	1	9	4	5	3
2	7	4	5	9	3	6	8	1
6	1	7	8	4	2	5	3	9
3	8	9	1	5	6	7	2	4

Variation 22

8	5	2	6	9	3	1	4	7
1	3	7	8	4	9	6	2	5
6	4	9	2	7	1	5	3	8
5	1	6	9	2	7	3	8	4
9	2	8	4	3	6	7	5	1
3	7	4	5	1	8	9	6	2
7	6	5	1	8	4	2	9	3
2	8	1	3	6	5	4	7	9
4	9	3	7	5	2	8	1	6

Variation 23

6	8	5	1	7	4	9	2	3
9	4	3	2	8	5	6	7	1
2	3	7	6	9	1	8	5	4
8	2	6	4	1	9	5	3	7
5	9	1	3	6	2	7	4	8
3	7	2	5	4	8	1	6	9
4	6	9	8	5	7	3	1	2
1	5	8	7	2	3	4	9	6
7	1	4	9	3	6	2	8	5

Variation 24

1	4	2	6	8	7	5	9	3
6	2	8	1	3	9	4	7	5
5	9	3	7	4	8	2	6	1
3	5	7	4	6	1	9	2	8
7	1	6	9	5	4	8	3	2
2	3	4	8	9	6	1	5	7
4	8	9	5	2	3	7	1	6
9	6	1	2	7	5	3	8	4
8	7	5	3	1	2	6	4	9

Variation 25

3	2	4	5	9	7	8	1	6
8	6	2	7	1	3	4	9	5
9	4	3	8	2	1	5	6	7
7	5	6	1	4	2	9	3	8
6	8	1	9	3	5	7	2	4
4	3	9	6	7	8	1	5	2
5	1	7	2	6	4	3	8	9
2	7	5	3	8	9	6	4	1
1	9	8	4	5	6	2	7	3

Variation 26

6	9	2	1	4	5	3	8	7
7	2	8	6	3	1	9	5	4
5	1	4	7	9	3	8	2	6
9	3	5	2	8	7	6	4	1
8	7	6	4	5	2	1	9	3
2	4	3	9	6	8	7	1	5
3	8	1	5	2	6	4	7	9
4	5	7	3	1	9	2	6	8
1	6	9	8	7	4	5	3	2

Variation 27

1	6	5	8	2	7	4	9	3
4	5	2	3	9	8	7	6	1
7	3	1	2	5	9	6	4	8
6	9	4	1	8	2	3	7	5
9	1	6	4	7	5	8	3	2
8	7	9	6	3	1	2	5	4
2	8	3	7	6	4	5	1	9
5	2	7	9	4	3	1	8	6
3	4	8	5	1	6	9	2	7

Variation 28

7	5	6	3	2	4	8	9	1
3	2	9	8	6	1	7	4	5
8	4	1	5	7	9	3	2	6
6	7	3	9	1	8	4	5	2
2	9	4	7	5	6	1	3	8
1	8	5	2	4	3	9	6	7
5	3	7	4	8	2	6	1	9
4	6	2	1	9	7	5	8	3
9	1	8	6	3	5	2	7	4

Variation 29

2	5	4	3	7	1	6	9	8
9	6	3	2	4	8	1	5	7
1	8	7	9	6	5	2	4	3
4	3	8	5	2	9	7	1	6
5	7	2	8	1	6	9	3	4
6	1	9	7	3	4	8	2	5
8	9	6	4	5	2	3	7	1
7	4	1	6	9	3	5	8	2
3	2	5	1	8	7	4	6	9

Variation 30

5	3	6	7	8	9	4	2	1
7	8	4	5	1	2	6	9	3
1	2	9	6	4	3	8	7	5
8	6	3	4	9	7	1	5	2
2	5	7	8	3	1	9	6	4
4	9	1	2	5	6	7	3	8
3	7	5	1	6	4	2	8	9
9	4	2	3	7	8	5	1	6
6	1	8	9	2	5	3	4	7

Variation 31

2	6	14	15	7	8	11	10	1	13	4	5	3	12	9	16
5	8	3	11	1	2	16	12	9	6	15	14	13	7	10	4
4	1	16	10	14	5	9	13	11	12	3	7	8	6	2	15
7	13	9	12	6	15	4	3	8	10	2	16	5	11	14	1
14	16	15	7	3	13	1	8	12	9	10	11	6	4	5	2
10	12	13	6	9	4	5	16	7	3	14	2	15	1	8	11
3	11	1	4	15	10	14	2	5	8	16	6	12	9	7	13
9	2	8	5	12	7	6	11	15	1	13	4	10	16	3	14
11	10	2	14	5	16	12	9	4	7	6	15	1	8	13	3
13	4	5	16	8	3	10	7	2	11	12	1	14	15	6	9
6	15	12	3	11	14	2	1	13	16	9	8	7	10	4	5
8	9	7	1	13	6	15	4	10	14	5	3	16	2	11	12
1	5	4	9	10	11	3	14	6	15	7	12	2	13	16	8
16	7	10	8	2	12	13	5	3	4	1	9	11	14	15	6
12	3	6	13	16	9	8	15	14	2	11	10	4	5	1	7
15	14	11	2	4	1	7	6	16	5	8	13	9	3	12	10

Variation 32

10	9	16	2	6	7	13	11	12	3	8	5	1	4	15	14
6	14	5	12	4	2	16	15	10	1	11	9	3	8	13	7
4	7	13	1	9	3	12	8	6	16	15	14	10	5	11	2
15	3	11	8	1	5	14	10	4	7	13	2	6	12	9	16
2	4	10	16	5	12	7	6	15	14	9	8	11	1	3	13
3	15	9	14	8	13	11	2	7	5	6	1	4	16	12	10
12	13	1	6	15	10	3	14	2	11	4	16	7	9	8	5
11	8	7	5	16	1	9	4	13	12	3	10	14	2	6	15
9	1	4	13	14	11	2	12	5	15	16	6	8	10	7	3
8	12	2	3	13	6	1	16	11	4	10	7	15	14	5	9
14	10	15	11	3	8	5	7	9	2	1	12	16	13	4	6
5	16	6	7	10	15	4	9	3	8	14	13	12	11	2	1
7	2	3	15	11	9	8	1	16	10	5	4	13	6	14	12
16	11	12	4	2	14	6	5	1	13	7	15	9	3	10	8
1	5	14	9	7	4	10	13	8	6	12	3	2	15	16	11
13	6	8	10	12	16	15	3	14	9	2	11	5	7	1	4

Variation 33

11	13	15	1	9	7	2	3	10	4	6	14	5	12	8	16
2	12	3	4	15	1	16	5	8	7	11	9	10	13	14	6
5	16	6	8	11	14	10	4	12	2	13	1	7	3	9	15
7	14	10	9	12	6	13	8	15	5	16	3	4	1	2	11
1	15	4	2	16	3	5	6	9	8	7	13	11	14	10	12
3	5	8	6	1	12	9	13	4	10	14	11	2	16	15	7
13	10	16	11	8	2	7	14	3	15	12	5	6	4	1	9
9	7	14	12	10	15	4	11	2	6	1	16	8	5	3	13
16	8	12	5	2	9	1	7	6	11	10	4	3	15	13	14
14	3	11	15	4	5	6	16	1	13	8	7	9	2	12	10
4	9	13	10	14	11	8	15	16	12	3	2	1	7	6	5
6	1	2	7	13	10	3	12	14	9	5	15	16	8	11	4
10	2	7	14	6	8	11	1	13	16	4	12	15	9	5	3
8	4	1	16	5	13	12	9	11	3	15	6	14	10	7	2
12	6	9	3	7	4	15	10	5	14	2	8	13	11	16	1
15	11	5	13	3	16	14	2	7	1	9	10	12	6	4	8

Variation 34

1	3	4	5	6	9	2	12	8	15	11	10	13	14	7	16
2	12	16	11	7	1	3	15	13	14	6	4	10	9	8	5
7	15	14	10	8	13	4	5	9	3	1	16	2	12	6	11
13	8	6	9	14	11	16	10	12	7	5	2	1	3	15	4
15	4	10	13	1	7	6	14	3	12	2	5	11	16	9	8
16	9	12	2	3	5	11	4	15	8	10	1	14	7	13	6
11	1	7	14	15	2	12	8	16	13	9	6	5	4	3	10
5	6	8	3	16	10	13	9	4	11	7	14	15	1	12	2
10	2	1	16	11	14	8	7	5	6	15	12	9	13	4	3
14	11	9	8	12	6	15	13	10	16	4	3	7	2	5	1
4	13	3	12	10	16	5	2	1	9	14	7	8	6	11	15
6	5	15	7	4	3	9	1	11	2	13	8	12	10	16	14
3	14	2	4	13	15	10	16	7	5	8	9	6	11	1	12
12	10	11	1	9	8	7	6	14	4	16	15	3	5	2	13
9	16	5	15	2	12	1	11	6	10	3	13	4	8	14	7
8	7	13	6	5	4	14	3	2	1	12	11	16	15	10	9

Variation 35

16	8	4	14	6	1	15	9	11	3	12	7	10	5	13	2
15	3	7	5	2	4	8	12	10	13	14	16	1	6	9	11
11	2	6	10	3	5	7	13	1	4	8	9	12	14	15	16
9	13	12	1	10	11	14	16	2	5	6	15	3	4	7	8
1	5	8	12	4	2	9	10	3	6	15	13	7	11	16	14
2	6	10	13	1	3	12	11	4	7	16	14	15	9	8	5
3	7	11	15	5	6	16	14	8	1	9	12	2	13	4	11
4	9	14	16	7	8	13	15	5	11	2	10	6	3	12	1
5	1	2	3	8	13	4	6	7	15	10	11	16	12	14	9
6	10	13	4	9	14	1	3	12	16	5	8	11	7	2	15
7	12	15	9	11	16	2	5	6	14	1	4	8	10	3	13
8	14	16	11	12	15	10	7	9	2	13	3	4	1	5	6
10	4	1	2	13	7	3	8	15	9	11	5	14	16	6	12
12	11	3	6	14	9	5	1	16	8	4	2	13	15	10	7
13	15	5	7	16	10	6	2	14	12	3	1	9	8	11	4
14	16	9	8	15	12	11	4	13	10	7	6	5	2	1	3

Variation 36

12	7	11	8	14	15	10	2	6	3	9	1	16	13	4	5
9	16	15	10	13	6	5	3	4	11	8	14	2	12	7	1
14	1	2	3	11	4	9	7	16	5	13	12	15	6	10	8
4	13	5	6	1	12	16	8	2	10	7	15	14	3	9	11
7	8	13	9	5	14	2	6	10	4	12	3	1	15	11	16
10	11	12	14	15	16	4	13	5	9	1	8	6	2	3	7
16	15	4	2	3	7	12	1	13	14	11	6	9	5	8	10
6	3	1	5	8	9	11	10	15	16	2	7	13	4	14	12
3	6	7	1	9	2	13	14	12	8	4	5	11	10	16	15
5	2	10	4	12	3	15	16	7	1	6	11	8	9	13	14
13	9	8	11	7	5	6	4	14	15	16	10	12	1	2	3
15	12	14	16	10	8	1	11	9	13	3	2	4	7	5	6
2	14	6	13	16	11	3	5	1	12	10	4	7	8	15	9
1	5	3	15	6	13	7	9	8	2	14	16	10	11	12	4
11	4	16	7	2	10	8	12	3	6	15	9	5	14	1	13
8	10	9	12	4	1	14	15	11	7	5	13	3	16	6	2

Variation 37

6	8	14	3	2	15	5	4	1	16	9	7	12	10	11	13
16	9	12	11	13	10	7	1	14	8	5	4	15	3	6	2
4	15	1	10	16	3	12	8	13	6	11	2	5	9	14	7
2	7	5	13	9	14	11	6	3	10	15	12	16	8	1	4
7	11	15	1	14	8	9	13	16	12	3	6	4	5	2	10
8	3	13	5	1	11	6	16	9	4	2	10	7	14	12	15
9	4	2	16	15	12	10	7	5	11	1	14	13	6	8	3
12	6	10	14	4	5	3	2	8	13	7	15	11	1	9	16
11	12	9	4	7	16	1	15	10	14	6	3	2	13	5	8
13	5	7	15	10	4	14	3	11	2	8	1	6	12	16	9
1	10	3	2	6	9	8	5	12	15	13	16	14	7	4	11
14	16	6	8	11	13	2	12	7	9	4	5	10	15	3	1
3	13	16	6	8	7	15	9	4	5	14	11	1	2	10	12
15	1	4	9	12	2	16	14	6	7	10	8	3	11	13	5
5	2	11	12	3	6	13	10	15	1	16	9	8	4	7	14
10	14	8	7	5	1	4	11	2	3	12	13	9	16	15	6

Variation 38